추천도서

대한검정회
Korea Test Association

한자급수자격검정시험대비서

대한

漢字 준3급

- 이 한권으로 準3級 합격보장 !!
- 심화학습문제 5회 수록 !!
- 실전대비문제 15회 수록!!

한출판
WWW.hanjanara.co.kr

한자급수자격검정시험대비서

대한검정회

漢字 준3급

| 개정 2쇄 발행 | 2024년 04월 07일
| 발행인 | 한출판 편집부
| 발행처 | 한출판
| 디자인·삽화 | 윤지민
| 등 록 | 05-01-0218
| 전 화 | 02-762-4950

ISBN : 979-11-92279-03-9

전국한문실력경시예선대회를 겸한

한자급수자격검정 한자 · 한문전문지도사 시험시행공고

* 공인민간자격(제2021-5호) 한자급수자격검정 준2급, 2급, 준1급, 1급, 사범
* 공인민간자격(제2021-4호) 한자 · 한문전문지도사 아동지도사급, 지도사2급, 지도사1급, 훈장2급, 훈장1급, 훈장특급

(사)대한민국한자교육연구회 대한검정회

✻ 종목별 시행일정

시행일	자격검정 종목 및 등급			접수기간
	종 목	시행등급		
2월 넷째주 (토)	한자급수자격검정	전 15개 등급	8급~대사범	12월 넷째주 월요일~3주간
	한자 · 한문전문지도사	전 6개 등급	아동지도사~훈장특급	
5월 넷째주 (토)	한자급수자격검정	전 15개 등급	8급~대사범	3월 넷째주 월요일~3주간
	한자 · 한문전문지도사	부분 3개 등급	아동지도사~지도사1급	
8월 넷째주 (토)	한자급수자격검정	전 15개 등급	8급~대사범	6월 넷째주 월요일~3주간
	한자 · 한문전문지도사	전 6개 등급	아동지도사~훈장특급	
11월 넷째주 (토)	한자급수자격검정	전 15개 등급	8급~대사범	9월 넷째주 월요일~3주간
	한자 · 한문전문지도사	부분 3개 등급	아동지도사~지도사1급	

✻ 접 수 방 법

- 방문접수: 응시원서 1부 작성(본 회 소정양식 O.C.R카드), 칼라사진 1매(3*4cm)
- 인터넷접수: www.hanja.ne.kr
- 모바일접수: m.hanja.ne.kr (한글주소:대한검정회)

※ 단, 인터넷 및 모바일접수는 온라인 수수료 1,000원이 추가됨.

✻ 시험준비물

- 수험표, 신분증, 수정테이프, 검정색 볼펜, 실내화

✻ 합 격 기 준

- 한자급수자격검정 : 100점 만점 중 70점 이상
- 한자·한문전문지도사 : 100점 만점 중 60점 이상

* 자격증 교부방법 : 방문접수자는 접수처에서 교부, 인터넷접수자는 우체국 발송
* 환불규정 : 본회 홈페이지(www.hanja.ne.kr)접속 → 우측상단 자료실 참조
* 유의사항 : 전 종목 전체급수의 시험 입실시간은 오후 1시 40분까지입니다. 이후에는 입실할 수 없습니다.

※ 연필이나 빨간색 펜은 절대 사용 불가, 초등학교 고사장 실내화 필수 지참

한자를 알면 세상이 보인다!

이 책의 특징

이 책은 사단법인 대한민국한자교육연구회 · 대한검정회 한자급수자격검정시험을 준비하는 응시자를 위한 문제집이다.

1 이 책에 수록된 문제는 10여년에 걸친 20회차의 기출문제를 참고하고, 최신 출제경향을 정밀 분석하여 실전시험에 가깝도록 문제은행 방식으로 편성하였다.

2 각 급수별로 선정된 한자는 표제 훈음과 장·단음, 부수, 총획, 육서, 간체자 등을 수록함으로써 수험생의 자습서 역할을 할 수 있도록 하였다. 단, 준3급 시험에는 장·단음, 간체자는 출제 되지 않는다.

3 해당 급수 선정 한자 쓰기본과 한자의 훈음쓰기, 훈음에 맞는 한자쓰기, 한자어의 독음쓰기, 낱말에 맞는 한자쓰기를 실어 수험 준비생이 자습할 수 있도록 하였다.

4 반의자, 유의자, 이음동자, 반의어, 유의어, 사자성어 등을 핵심정리하여 학습의 효과를 높이는 역할을 할 수 있도록 하였다.

5 심화학습문제 5회, 실전대비문제 15회분을 실어 출제경향을 알 수 있도록 하였다.

6 연습용 답안지를 첨부하여 실전에 대비하게 하였다.

※더욱 깊이 있게 공부하고 싶거나 경시대회를 준비하고자 하면 해당급수의 길잡이『장원급제Ⅴ』를 함께 공부하시기 바랍니다.

編·輯·部

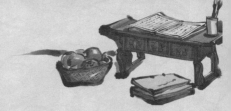

출제기준 — 한자자격 준3급 출제기준

대영역	중영역	주요내용	출제문항수 객관식	주관식	계
한자	한자 익히기	· 한자의 훈음 알기 · 한자의 짜임을 통한 형·음·의 알기 · 훈음에 맞는 한자 알기	16		16
	한자의 활용	· 한자의 다양한 훈음 알기 · 부수와 획수 적용하기 · 자전(옥편) 활용하기 · 유의자와 반의자의 한자 알기 · 한자어에 적용하기	6		6
한자어	한자어 익히기	· 한자어의 독음 알기 · 한자어의 뜻 알기 · 낱말을 한자로 변환하기 · 한자어의 짜임 알기	16		16
	한자어의 활용	· 문장 속의 한자어 독음 알기 · 문장 속의 낱말을 한자로 변환하기 · 반의어와 유의어 알기 · 고사성어의 속뜻 알기	10		10
	가치관 형성하기	· 선인의 삶과 지혜를 이해하고 가치관 형성하기 · 전통문화를 이해하고 발전시키기	2		2
계		※1문항 2점 배점, 70점 이상 합격	50		50

등급구분 — 등급별 선정한자 자수표

등급별	선정한자수	출제범위	응시지역	등급별	선정한자수	출제범위
8급	30字	교육부 선정 상용한자	전국지부별 지정고사장	준2급	1,500字	교육부 선정 상용한자 및 중·고등학교 한문교과
7급	50字					
6급	70字			2급	2,000字	
준5급	100字			준1급	2,500字	본회 선정 대학 기본한자 대법원 선정 인명한자 명심보감 등.
5급	250字					
준4급	400字			1급	3,500字	
4급	600字			사범	5,000字	
준3급	800字					
3급	1,000字			대사범	5,000字	사서·고문진보·사략 등 국역전문 한자

※선정 한자수는 하위등급 한자가 포함된 것임.

準三級

목차

HAN 준3급 한자(800字) 표제훈음

참고 * ※선정한자 표제훈음보다 자세한 것은 자전이나 교재『장원급제Ⅴ』를 참고하시오.
: : 장음, (:) : 장 · 단음 공용한자　例) ❸ 3급, ③ 준3급을 표시함.

한자	표제훈음	장·단음	부수	총획	육서	간체자
③ 街	거리 가	(:)	行,	12,	형성	
③ 假	거짓 가	:	人,	11,	형성	
③ 佳	아름다울 가		人,	8,	형성	
❹ 價	값 가		人,	15,	회·형,	价
④ 加	더할 가		力,	5,	회의	
④ 可	옳을 가	:	口,	5,	형성	
❺ 歌	노래 가		欠,	14,	형성	
❺ 家	집 가		宀,	10,	회의	
④ 角	뿔 각		角,	7,	상형,	角
❺ 各	각각 각		口,	6,	회의	
③ 干	방패 간		干,	3,	상형	
③ 看	볼 간		目,	9,	회의	

HAN 준3급 한자(800字) 표제훈음

참고 ※선정한자 표제훈음보다 자세한 것은 자전이나 교재 『장원급제 V』를 참고하시오.
: : 장음, (:) : 장 · 단음 공용한자 例) ❸ 3급, ③ 준3급을 표시함.

한자	표제훈음	장·단음	부수	총획	육서	간체자
❺ 間	사이 간	:	門,	12,	회의,	间
❹ 甘	달 감		甘,	5,	지사	
❹ 減	덜 감	:	水,	12,	형성,	减
❹ 監	볼 감		皿,	14,	회의,	监
④ 感	느낄 감	:	心,	13,	형성	
③ 甲	껍질,갑옷 갑		田,	5,	상형	
③ 降	내릴 강 항복할 항	(:)	阜,	9,	회·형	
③ 講	익힐 강	:	言,	17,	형성,	讲
③ 康	편안할 강		广,	11,	형성	
❺ 强	강할 강	(:)	弓,	12,	형성	
❼ 江	강 강		水,	6,	형성	
❹ 改	고칠 개	:	攴,	7,	형성	

준3급 한자(800字) 표제훈음

참고 ※선정한자 표제훈음보다 자세한 것은 자전이나 교재『장원급제Ⅴ』를 참고하시오.
ː: 장음, (ː): 장 · 단음 공용한자 例) ❸ 3급, ③ 준3급을 표시함.

한자	표제훈음	장·단음	부수	총획	육서	간체자
❹ 個	낱 개	(ː)	人,	10,	형성,	个
❺ 開	열 개		門,	12,	형성,	开
④ 客	손님 객		宀,	9,	형성	
③ 更	다시 갱 고칠 경	(ː)	曰,	7,	형성	
③ 巨	클 거	ː	工,	5,	상형	
❹ 擧	들 거	ː	手,	18,	회·형,	举
❺ 去	갈 거	ː	厶,	5,	상형	
⑤ 車	수레 거 수레 차		車,	7,	상형,	车
❹ 健	건강할 건	ː	人,	11,	형성	
❹ 件	사건 건		人,	6,	회의	
❹ 建	세울 건	ː	廴,	9,	회의	
⑤ 巾	수건 건		巾,	3,	상형	

준3급 한자(800字) 표제훈음

참고 * ※선정한자 표제훈음보다 자세한 것은 자전이나 교재『장원급제V』를 참고하시오.
ː : 장음, (ː) : 장 · 단음 공용한자 例) ❸ 3급, ③ 준3급을 표시함.

한자	표제훈음	장·단음	부수	총획	육서	간체자
③ 檢	검사할 검	ː	木,	17,	형성,	检
③ 儉	검소할 검	ː	人,	15,	형성,	俭
④ 格	격식 격		木,	10,	형성	
❺ 見	볼 견 뵐 현	ː	見,	7,	회의,	见
❻ 犬	개 견		犬,	4,	상형	
③ 潔	깨끗할 결		水,	15,	형성,	洁
④ 決	결단할 결		水,	7,	형성,	决
④ 結	맺을 결		糸,	12,	형성,	结
③ 警	경계할 경	ː	言,	20,	회의	
③ 慶	경사 경	ː	心,	15,	회의,	庆
③ 耕	밭갈 경		耒,	10,	회의	
③ 境	지경 경		土,	14,	형성	

준3급 한자(800字) 표제훈음

참고 ※선정한자 표제훈음보다 자세한 것은 자전이나 교재 『장원급제Ⅴ』를 참고하시오.
ː : 장음, (ː) : 장 · 단음 공용한자 例) ❸ 3급, ③ 준3급을 표시함.

한자	표제훈음	장·단음	부수	총획	육서	간체자
③ 經	지날,글 경		糸,	13,	형성,	经
③ 庚	천간,별 경		广,	8,	회의	
❹ 競	다툴 경	ː	立,	20,	회의,	竞
❹ 景	볕 경	(ː)	日,	12,	형성	
④ 輕	가벼울 경		車,	14,	형성,	轻
④ 敬	공경할 경	ː	攴,	13,	회의	
❺ 京	서울 경		亠,	8,	회의	
③ 戒	경계할 계	ː	戈,	7,	회의	
③ 溪	시내 계		水,	13,	형성	
③ 繼	이을 계	ː	糸,	20,	형성,	继
③ 癸	천간,북방 계	ː	癶,	9,	상형	
❹ 季	철 계	ː	子,	8,	회의	

준3급 한자(800字) 표제훈음

참고 ※선정한자 표제훈음보다 자세한 것은 자전이나 교재『장원급제Ⅴ』를 참고하시오.
ː: 장음, (ː): 장 · 단음 공용한자 例) ❸ 3급, ③ 준3급을 표시함.

한자	표제훈음	장·단음	부수	총획	육서	간체자
④ 界	지경 계	ː	田,	9,	형성	
❺ 計	셀 계	ː	言,	9,	회의,	计
③ 庫	곳집 고		广,	10,	회의,	库
❹ 固	굳을 고		囗,	8,	형성	
❹ 故	연고 고	(ː)	攴,	9,	형성	
④ 苦	괴로울 고		艸,	9,	형성	
④ 考	상고할 고	(ː)	老,	6,	형성	
④ 告	알릴 고 뵙고청할 곡	ː	口,	7,	회의	
❺ 高	높을 고		高,	10,	상형	
⑤ 古	예 고	ː	口,	5,	회의	
③ 谷	골 곡		谷,	7,	회의	
④ 曲	굽을 곡		曰,	6,	상형	

HAN 준3급 한자(800字) 표제훈음

참고 ※선정한자 표제훈음보다 자세한 것은 자전이나 교재 『장원급제Ⅴ』를 참고하시오.
ː : 장음, (ː) : 장 · 단음 공용한자 例) ❸ 3급, ③ 준3급을 표시함.

한자	표제훈음	장·단음	부수	총획	육서	간체자
❹ 骨	뼈 골		骨,	10,	회의	
④ 公	공변될 공		八,	4,	회의	
❺ 功	공 공		力,	5,	형성	
❺ 空	빌 공		穴,	8,	형성	
❺ 共	함께 공	ː	八,	6,	회의	
⑤ 工	장인 공		工,	3,	상형	
❹ 課	매길 과		言,	15,	형성,	课
④ 果	과실 과	ː	木,	8,	상형	
④ 過	지날 과	ː	辵,	13,	형성,	过
❺ 科	과목 과		禾,	9,	회의	
③ 官	벼슬 관		宀,	8,	회의	
❹ 關	관계할,빗장 관		門,	19,	형성,	关

준3급 한자(800字) 표제훈음

참고 ※선정한자 표제훈음보다 자세한 것은 자전이나 교재 『장원급제Ⅴ』를 참고하시오.
ː : 장음, (ː) : 장 · 단음 공용한자 例) ❸ 3급, ③ 준3급을 표시함.

한자	표제훈음	장·단음	부수	총획	육서	간체자
④ 觀	볼 관		見,	25,	형성,	观
④ 廣	넓을 광	ː	广,	15,	형성,	广
❺ 光	빛 광		儿,	6,	회의	
④ 橋	다리 교		木,	16,	형성,	桥
❺ 敎	가르칠 교	ː	攴,	11,	회·형,	教
❺ 交	사귈 교		亠,	6,	상형	
❺ 校	학교 교	ː	木,	10,	형성	
③ 究	궁구할 구		穴,	7,	형성	
③ 句	글귀 구		口,	5,	회의	
④ 具	갖출 구	(ː)	八,	8,	회의	
④ 救	구원할 구	ː	攴,	11,	형성	
④ 求	구할 구		水,	7,	상형	

준3급 한자(800字) 표제훈음

참고 ※선정한자 표제훈음보다 자세한 것은 자전이나 교재『장원급제Ⅴ』를 참고하시오.
ː : 장음, (ː) : 장 · 단음 공용한자 例) ❸ 3급, ③ 준3급을 표시함.

한자	표제훈음	장·단음	부수	총획	육서	간체자
❹ 舊	예 구	ː	臼,	18,	형성,	旧
❹ 久	오랠 구	ː	丿,	3,	지사	
④ 球	공 구		玉,	11,	형성	
❺ 區	나눌 구		匸,	11,	회의,	区
❽ 九	아홉 구		乙,	2,	지사	
❼ 口	입 구	(ː)	口,	3,	상형	
❹ 局	판 국		尸,	7,	회의	
❺ 國	나라 국		口,	11,	회의,	国
③ 群	무리 군		羊,	13,	형성	
❹ 君	임금 군		口,	7,	회의	
④ 郡	고을 군	ː	邑,	10,	형성	
❺ 軍	군사 군		車,	9,	회의,	军

준3급 한자(800字) 표제훈음

참고 * ※선정한자 표제훈음보다 자세한 것은 자전이나 교재 『장원급제Ⅴ』를 참고하시오.
ː : 장음, (ː) : 장 · 단음 공용한자 例) ❸ 3급, ③ 준3급을 표시함.

한자	표제훈음	장·단음	부수	총획	육서	간체자
③ 弓	활 궁		弓,	3,	상형	
③ 權	권세 권		木,	22,	형성,	权
③ 歸	돌아갈 귀	ː	止,	18,	회의,	归
④ 貴	귀할 귀	ː	貝,	12,	형성,	贵
❹ 規	법 규		見,	11,	회의,	规
③ 均	고를 균		土,	7,	형성	
❹ 極	다할 극		木,	13,	형성,	极
④ 根	뿌리 근		木,	10,	형성	
❺ 近	가까울 근	ː	辵,	8,	형성	
③ 禁	금할 금	ː	示,	13,	형성	
⑤ 今	이제 금		人,	4,	회의	
❽ 金	쇠 금 성 김		金,	8,	형성	

준3급 한자(800字) 표제훈음

참고 ※선정한자 표제훈음보다 자세한 것은 자전이나 교재『장원급제V』를 참고하시오.
ː : 장음, (ː) : 장 · 단음 공용한자 例) ❸ 3급, ③ 준3급을 표시함.

한자	표제훈음	장·단음	부수	총획	육서	간체자
③ 及	미칠 급		又,	4,	회의	
❹ 給	줄 급		糸,	12,	형성,	给
④ 級	등급 급		糸,	10,	형성,	级
❺ 急	급할 급		心,	9,	형성	
③ 起	일어날 기		走,	10,	형성	
❹ 其	그 기		八,	8,	상형	
❹ 器	그릇 기		口,	16,	회의	
❹ 期	기약할 기		月,	12,	형성	
❹ 汽	물끓는김 기		水,	7,	형성	
❹ 技	재주 기		手,	7,	형성	
❹ 基	터 기		土,	11,	형성	
❺ 旗	기 기		方,	14,	형성	

준3급 한자(800字) 표제훈음

참고 ※선정한자 표제훈음보다 자세한 것은 자전이나 교재『장원급제Ⅴ』를 참고하시오.
ː : 장음, (ː) : 장 · 단음 공용한자 例) ❸ 3급, ③ 준3급을 표시함.

한자	표제훈음	장·단음	부수	총획	육서	간체자
❺ 記	기록할 기		言,	10,	형성,	记
❺ 氣	기운 기		气,	10,	형성,	气
❻ 己	몸 기		己,	3,	상형	
④ 吉	길할 길		口,	6,	회의	
③ 暖	따뜻할 난	ː	日,	13,	형성	
③ 難	어려울 난	(ː)	隹,	19,	형성,	难
❽ 南	남녘 남		十,	9,	형성	
❽ 男	사내 남		田,	7,	회의	
③ 納	들일 납		糸,	10,	형성,	纳
③ 乃	이에 내	ː	丿,	2,	상형	
❼ 內	안 내 여관(女官) 나	ː	入,	4,	회의	
❽ 女	여자 녀		女,	3,	상형	

준3급 한자(800字) 표제훈음

참고 ※선정한자 표제훈음보다 자세한 것은 자전이나 교재『장원급제Ⅴ』를 참고하시오.
ː: 장음, (ː): 장 · 단음 공용한자 例) ❸ 3급, ③ 준3급을 표시함.

한자	표제훈음	장·단음	부수	총획	육서	간체자
❼ 年	해 년		干,	6,	형성	
❹ 念	생각 념	ː	心,	8,	형성	
③ 怒	성낼 노	ː	心,	9,	형성	
③ 努	힘쓸 노		力,	7	형성	
❺ 農	농사 농		辰,	13,	형성,	农
④ 能	능할 능		肉,	10,	형성	
❺ 多	많을 다		夕,	6,	회의	
③ 斷	끊을 단	ː	斤,	18,	회의,	断
③ 丹	붉을 단 꽃이름 란		丶,	4,	지사	
③ 單	홑 단		口,	12,	상형,	单
❹ 團	둥글,모일 단		囗,	14,	형성,	团
❹ 端	바를 단		立,	14,	형성	

HAN 준3급 한자(800字) 표제훈음

참고 * ※선정한자 표제훈음보다 자세한 것은 자전이나 교재 『장원급제Ⅴ』를 참고하시오.
ː : 장음, (ː) : 장 · 단음 공용한자 例) ❸ 3급, ③ 준3급을 표시함.

한자	표제훈음	장·단음	부수	총획	육서	간체자
❹ 壇	제단 단		土,	16,	형성,	坛
❺ 短	짧을 단	ː	矢,	12,	형성	
③ 達	통달할 달		辵,	13,	형성,	达
❹ 談	말씀 담		言,	15,	형성,	谈
❺ 答	대답 답		竹,	12,	형성	
④ 堂	집 당		土,	11,	형성	
❺ 當	마땅할 당		田,	13,	형성,	当
③ 隊	무리 대		阜,	12,	형성,	队
④ 待	기다릴 대	ː	彳,	9,	형성	
❺ 對	대답할 대	ː	寸,	14,	회의,	对
❺ 代	대신할 대	ː	人,	5,	형성	
❼ 大	큰 대	(ː)	大,	3,	상형	

HAN 준3급 한자(800字) 표제훈음

참고 * ※선정한자 표제훈음보다 자세한 것은 자전이나 교재 『장원급제V』를 참고하시오.
ː : 장음, (ː) : 장 · 단음 공용한자 例) ❸ 3급, ③ 준3급을 표시함.

한자	표제훈음		장·단음	부수	총획	육서	간체자
④ 德	덕	덕		彳,	15,	형성	
③ 徒	무리	도		彳,	10,	형성	
❹ 都	도읍	도		邑,	12,	형성,	都
❹ 島	섬	도		山,	10,	형성,	岛
❹ 到	이를	도	ː	刀,	8,	형성	
④ 圖	그림	도		囗,	14,	회의,	图
④ 度	법도 헤아릴	도 탁	ː	广,	9,	형성	
❺ 道	길	도	(ː)	辵,	13,	회의	
❺ 刀	칼	도		刀,	2,	상형	
❹ 獨	홀로	독		犬,	16,	형성,	独
❺ 讀	읽을 구절	독 두		言,	22,	형성,	读
④ 童	아이	동	ː	立,	12,	형성	

준3급 한자(800字) 표제훈음

참고 ※선정한자 표제훈음보다 자세한 것은 자전이나 교재 『장원급제Ⅴ』를 참고하시오.
ː : 장음, (ː) : 장 · 단음 공용한자 例) ❸ 3급, ③ 준3급을 표시함.

한자	표제훈음	장·단음	부수	총획	육서	간체자
④ 動	움직일 동	ː	力,	11,	형성,	动
❺ 冬	겨울 동	(ː)	冫,	5,	회의	
❺ 洞	고을 동 꿰뚫을 통	ː	水,	9,	형성	
⑤ 同	한가지 동		口,	6,	회의	
❽ 東	동녘 동		木,	8,	회의,	东
③ 斗	말 두		斗,	4,	상형	
③ 豆	콩 두		豆,	7,	상형	
❺ 頭	머리 두		頁,	16,	형성,	头
③ 得	얻을 득		彳,	11,	회의	
③ 燈	등잔 등		火,	16,	형성,	灯
❺ 等	무리 등	ː	竹,	12,	회의	
❺ 登	오를 등		癶,	12,	회의	

HAN 준3급 한자(800字) 표제훈음

참고 ※선정한자 표제훈음보다 자세한 것은 자전이나 교재 『장원급제Ⅴ』를 참고하시오.
ː : 장음, (ː) : 장 · 단음 공용한자
例) ❸ 3급, ③ 준3급을 표시함.

한자	표제훈음	장·단음	부수	총획	육서	간체자
④ 落	떨어질 락		艸,	13,	형성	
❺ 樂	즐거울 락 풍류악/좋아할 요		木,	15,	상형,	乐
❹ 朗	밝을 랑	ː	月,	11,	형성,	朗
❺ 來	올 래	(ː)	人,	8,	상형,	来
❹ 冷	찰 랭	ː	冫,	7,	형성	
③ 略	간략할 략		田,	11,	형성	
❹ 兩	두 량	ː	入,	8,	회·형,	两
❹ 量	헤아릴 량		里,	12,	형성	
④ 良	어질 량		艮,	7,	상형	
❹ 旅	나그네 려		方,	10,	회의	
④ 歷	지낼 력		止,	16,	형성,	历
⑤ 力	힘 력		力,	2,	상형	

준3급 한자(800字) 표제훈음

참고 * ※선정한자 표제훈음보다 자세한 것은 자전이나 교재『장원급제Ⅴ』를 참고하시오.
ː : 장음, (ː) : 장·단음 공용한자 例) ❸ 3급, ③ 준3급을 표시함.

한자	표제훈음	장·단음	부수	총획	육서	간체자
③ 連	이을 련		辵,	11,	회의,	连
❹ 練	익힐 련	ː	糸,	15,	형성,	练
③ 烈	매울,뜨거울 렬		火,	10,	형성	
③ 列	벌일 렬		刀,	6,	형성	
❹ 領	옷깃 령		頁,	14,	형성,	领
❹ 令	하여금,명령할 령	(ː)	人,	5,	회의	
④ 例	법식 례	ː	人,	8,	형성	
④ 禮	예도 례		示,	18,	회·형,	礼
❹ 料	헤아릴 료	(ː)	斗,	10,	회의	
④ 路	길 로	ː	足,	13,	형성	
④ 勞	수고로울 로		力,	12,	회의,	劳
❺ 老	늙을 로	ː	老,	6,	상형	

준3급 한자(800字) 표제훈음

참고 ※선정한자 표제훈음보다 자세한 것은 자전이나 교재『장원급제Ⅴ』를 참고하시오.
ː: 장음, (ː): 장 · 단음 공용한자 例) ❸ 3급, ③ 준3급을 표시함.

한자	표제훈음	장·단음	부수	총획	육서	간체자
③ 錄	기록할 록		金,	16,	형성,	录
④ 綠	푸를 록		糸,	14,	형성,	绿
③ 論	논할 론		言,	15,	형성,	论
❹ 類	무리 류	ː	頁,	19,	형성,	类
④ 流	흐를 류		水,	10,	회의	
❹ 陸	뭍 륙		阜,	11,	형성,	陆
❽ 六	여섯 륙 여섯 뉴		八,	4,	지사	
③ 倫	인륜 륜		人,	10,	형성,	伦
❹ 律	법 률		彳,	9,	형성	
④ 李	오얏 리	ː	木,	7,	형성	
❺ 理	다스릴 리	ː	玉,	11,	형성	
❺ 里	마을 리	ː	里,	7,	회의	

준3급 한자(800字) 표제훈음

참고 ※선정한자 표제훈음보다 자세한 것은 자전이나 교재『장원급제Ⅴ』를 참고하시오.
: : 장음, (:) : 장 · 단음 공용한자 例) ❸ 3급, ③ 준3급을 표시함.

한자	표제훈음	장·단음	부수	총획	육서	간체자
❺ 利	이로울 리	:	刀,	7,	회의	
❻ 林	수풀 림		木,	8,	회의	
⑤ 立	설 립		立,	5,	회의	
❻ 馬	말 마	:	馬,	10,	상형,	马
③ 莫	없을 막		艸,	11,	회의	
③ 滿	찰 만	(:)	水,	14,	형성,	满
❺ 萬	일만 만	:	艸,	13,	상형,	万
⑤ 末	끝 말		木,	5,	지사	
③ 忘	잊을 망		心,	7,	회·형	
❹ 望	바랄 망	:	月,	11,	회·형	
④ 亡	망할 망		亠,	3,	회의	
❹ 妹	아랫누이 매		女,	8,	형성	

준3급 한자(800字) 표제훈음

참고 ※선정한자 표제훈음보다 자세한 것은 자전이나 교재 『장원급제Ⅴ』를 참고하시오.
ː : 장음, (ː) : 장 · 단음 공용한자 例) ❸ 3급, ③ 준3급을 표시함.

한자	표제훈음		장·단음	부수	총획	육서	간체자
④ 買	살	매	ː	貝,	12,	회의,	买
④ 賣	팔	매	(ː)	貝,	15,	회의,	卖
❺ 每	매양	매	ː	毋,	7,	형성	
❺ 面	낯	면	ː	面,	9,	상형	
❺ 命	목숨	명	ː	口,	8,	회의	
❺ 明	밝을	명		日,	8,	회의	
❻ 名	이름	명		口,	6,	회의	
❺ 毛	털	모		毛,	4,	상형	
❽ 母	어머니	모	ː	毋,	5,	상형	
❹ 牧	칠	목		牛,	8,	회의	
❽ 木	나무 모과	목 모		木,	4,	상형	
❼ 目	눈	목		目,	5,	상형	

준3급 한자(800字) 표제훈음

참고 * ※선정한자 표제훈음보다 자세한 것은 자전이나 교재『장원급제Ⅴ』를 참고하시오.
ː: 장음, (ː): 장 · 단음 공용한자 例) ❸ 3급, ③ 준3급을 표시함.

한자	표제훈음	장·단음	부수	총획	육서	간체자
③ 妙	묘할 묘	ː	女,	7,	형성	
③ 卯	토끼 묘	ː	卩,	5,	상형	
③ 戊	천간,별 무	ː	戈,	5,	상형	
③ 務	힘쓸 무	ː	力,	11,	형성,	务
❹ 武	굳셀 무	ː	止,	8,	회의	
❺ 無	없을 무		火,	12,	회의,	无
❺ 聞	들을 문	(ː)	耳,	14,	형성,	闻
❺ 問	물을 문	ː	口,	11,	형성,	问
⑤ 文	글월 문		文,	4,	상형	
❽ 門	문 문		門,	8,	상형,	门
❺ 物	물건 물		牛,	8,	형성	
③ 尾	꼬리 미		尸,	7,	회의	

준3급 한자(800字) 표제훈음

참고 * ※선정한자 표제훈음보다 자세한 것은 자전이나 교재『장원급제Ⅴ』를 참고하시오.
: : 장음, (:) : 장·단음 공용한자 例) ❸ 3급, ③ 준3급을 표시함.

한자	표제훈음	장·단음	부수	총획	육서	간체자
❹ 味	맛 미		口,	8,	형성	
❹ 未	아닐 미	(:)	木,	5,	상형	
④ 美	아름다울 미	(:)	羊,	9,	회의	
❺ 米	쌀 미		米,	6,	상형	
❺ 民	백성 민		氏,	5,	회의	
③ 密	빽빽할 밀		宀,	11,	형성	
④ 朴	순박할 박		木,	6,	형성	
③ 飯	밥 반		食,	13,	형성,	饭
④ 反	돌이킬 반	:	又,	4,	회의	
❺ 班	나눌 반		玉,	10,	회·형	
❺ 半	절반 반	:	十,	5,	회의	
④ 發	필 발		癶,	12,	형성,	发

준3급 한자(800字) 표제훈음

참고 ※선정한자 표제훈음보다 자세한 것은 자전이나 교재『장원급제Ⅴ』를 참고하시오.
ː: 장음, (ː): 장 · 단음 공용한자 例) ❸ 3급, ③ 준3급을 표시함.

한자	표제훈음	장·단음	부수	총획	육서	간체자
③ 防	막을 방		阜,	7,	형성	
③ 房	방 방		户,	8,	형성	
③ 訪	찾을 방	ː	言,	11,	형성,	访
❺ 放	놓을 방	(ː)	攴,	8,	형성	
⑤ 方	모 방		方,	4,	상형	
③ 背	등 배	ː	肉,	9,	형성	
③ 拜	절 배	ː	手,	9,	회·형	
❹ 倍	갑절 배	ː	人,	10,	형성	
❻ 百	일백 백		白,	6,	형성	
❼ 白	흰 백		白,	5,	지사	
❺ 番	차례 번		田,	12,	상형	
③ 罰	벌할 벌		网,	14,	회의,	罚

HAN 준3급 한자(800字) 표제훈음

참고 ※선정한자 표제훈음보다 자세한 것은 자전이나 교재『장원급제Ⅴ』를 참고하시오.
* : : 장음, (:) : 장 · 단음 공용한자 例) ❸ 3급, ③ 준3급을 표시함.

한자	표제훈음	장·단음	부수	총획	육서	간체자
③ 伐	칠 벌		人,	6	회의	
④ 法	법 법		水,	8,	회의	
❹ 變	변할 변	:	言,	23,	형성,	变
❺ 別	다를 별		刀,	7,	회의	
③ 丙	남녘 병		一,	5,	회의	
④ 兵	군사 병		八,	7,	회의	
④ 病	병 병	:	疒,	10,	형성	
③ 寶	보배 보	:	宀,	20,	회·형,	宝
③ 保	지킬 보	(:)	人,	9,	형·회	
❹ 報	갚을 보	:	土,	12,	회의,	报
❺ 步	걸음 보	:	止,	7,	회의	
③ 復	돌아올 복 다시 부	(:)	彳,	12,	형성,	复

준3급 한자(800字) 표제훈음

참고 * ※선정한자 표제훈음보다 자세한 것은 자전이나 교재『장원급제Ⅴ』를 참고하시오.
ː : 장음, (ː) : 장 · 단음 공용한자 例) ❸ 3급, ③ 준3급을 표시함.

한자	표제훈음	장·단음	부수	총획	육서	간체자
③ 伏	엎드릴 복		人,	6,	회의	
④ 福	복 복		示,	14,	형성	
④ 服	옷 복		月,	8,	형성	
⑤ 本	근본 본		木,	5,	지사	
④ 奉	받들 봉	ː	大,	8,	회·형	
③ 否	아닐 부 막힐 비	ː	口,	7,	형·회	
❹ 富	부자 부	ː	宀,	12,	형성	
❹ 婦	지어미,며느리 부		女,	11,	회·형,	妇
❺ 部	거느릴 부		邑,	11,	형성	
⑤ 夫	지아비 부		大,	4,	회의	
❽ 父	아버지 부 남자미칭 보		父,	4,	회의	
❽ 北	북녘 북 달아날 배		匕,	5,	회의	

준3급 한자(800字) 표제훈음

참고 ※선정한자 표제훈음보다 자세한 것은 자전이나 교재『장원급제Ⅴ』를 참고하시오.
ː : 장음, (ː) : 장 · 단음 공용한자　　例) ❸ 3급, ③ 준3급을 표시함.

한자	표제훈음	장·단음	부수	총획	육서	간체자
❺ 分	나눌 분 푼 푼	(ː)	刀,	4,	회의	
③ 佛	부처 불		人,	7,	형성	
⑤ 不	아니 불 아니 부		一,	4,	상형	
③ 飛	날 비		飛,	9,	상형,	飞
③ 悲	슬플 비	ː	心,	12,	형성	
③ 非	아닐 비	ː	非,	8,	상형	
❹ 備	갖출 비	ː	人,	12,	형성,	备
❹ 比	견줄 비	ː	比,	4,	상형	
❹ 費	쓸 비	ː	貝,	12,	형성,	费
❹ 鼻	코 비	ː	鼻,	14,	형성	
❹ 貧	가난할 빈		貝,	11,	형성,	贫
④ 冰	얼음 빙		冫,	6,	회의,	氷

HAN 준3급 한자(800字) 표제훈음

참고 * ※선정한자 표제훈음보다 자세한 것은 자전이나 교재 『장원급제Ⅴ』를 참고하시오.
ː : 장음, (ː) : 장 · 단음 공용한자 例) ❸ 3급, ③ 준3급을 표시함.

한자	표제훈음	장·단음	부수	총획	육서	간체자
③ 巳	뱀 사	ː	己,	3,	상형	
③ 絲	실 사		糸,	12,	회의,	丝
③ 寺	절 사 관청 시		寸,	6,	회의	
③ 舍	집 사		舌,	8,	회·상	
❹ 寫	베낄,쓸 사		宀,	15,	형성,	写
❹ 謝	사례할 사	ː	言,	17,	형성,	谢
❹ 師	스승 사		巾,	10,	회의,	师
❹ 査	조사할 사		木,	9,	형성,	查
④ 仕	벼슬할 사	(ː)	人,	5,	형성	
④ 思	생각 사	(ː)	心,	9,	회의	
④ 史	역사 사	ː	口,	5,	회의	
④ 使	하여금 사	ː	人,	8,	회의	

준3급 한자(800字) 표제훈음

참고 ※선정한자 표제훈음보다 자세한 것은 자전이나 교재『장원급제Ⅴ』를 참고하시오.
ː : 장음, (ː) : 장 · 단음 공용한자 例) ❸ 3급, ③ 준3급을 표시함.

한자	표제훈음	장·단음	부수	총획	육서	간체자
❺ 社	모일 사		示,	8,	회의	
❺ 事	일 사	ː	亅,	8,	회의	
❺ 死	죽을 사	ː	歹,	6,	회의	
⑤ 士	선비 사	ː	士,	3,	상형	
❽ 四	넉 사	ː	口,	5,	지사	
③ 散	흩어질 산	(ː)	攴,	12,	형성	
❹ 産	낳을 산	ː	生,	11,	형·회,	产
④ 算	셈 산	ː	竹,	14,	회의	
❼ 山	메(뫼) 산		山,	3,	상형	
③ 殺	죽일 살 덜 쇄		殳,	11,	형성,	杀
❽ 三	석 삼		一,	3,	지사	
③ 狀	모양 상 문서 장	(ː)	犬,	8,	형성,	状

준3급 한자(800字) 표제훈음

참고 ※선정한자 표제훈음보다 자세한 것은 자전이나 교재 『장원급제Ⅴ』를 참고하시오.
ː: 장음, (ː): 장 · 단음 공용한자 例) ❸ 3급, ③ 준3급을 표시함.

한자	표제훈음	장·단음	부수	총획	육서	간체자
③ 想	생각 상	ː	心,	13,	형성	
③ 床	평상 상		广,	7,	형성	
❹ 賞	상줄 상		貝,	15,	형성,	赏
❹ 商	장사 상		口,	11,	회의	
❹ 常	항상 상		巾,	11,	형성	
④ 相	서로 상		目,	9,	회의	
❼ 上	위 상	ː	一,	3,	지사	
❺ 色	빛 색		色,	6,	회의	
❻ 生	날 생		生,	5,	상형	
❹ 序	차례 서	ː	广,	7,	형성	
❺ 書	글 서		曰,	10,	형성,	书
❽ 西	서녘 서		襾,	6,	상형	

준3급 한자(800字) 표제훈음

참고 ※선정한자 표제훈음보다 자세한 것은 자전이나 교재 『장원급제Ⅴ』를 참고하시오.
ː: 장음, (ː): 장 · 단음 공용한자
例) ❸ 3급, ③ 준3급을 표시함.

한자	표제훈음	장·단음	부수	총획	육서	간체자
④ 席	자리 석		巾,	10,	형성	
❻ 石	돌 석		石,	5,	상형	
⑤ 夕	저녁 석		夕,	3,	지사	
❹ 選	가릴 선		辵,	16,	형성,	选
❹ 鮮	고울 선	(ː)	魚,	17,	형성,	鲜
❹ 船	배 선		舟,	11,	형성	
❹ 仙	신선 선		人,	5,	회·형	
❹ 善	착할 선	ː	口,	12,	회의	
❺ 線	줄 선		糸,	15,	형성,	线
❻ 先	먼저 선		儿,	6,	회의	
③ 舌	혀 설		舌,	6,	회의	
❹ 說	말씀 설 달랠세/기쁠 열		言,	14,	형성,	说

HAN 준3급 한자(800字) 표제훈음

참고 * ※선정한자 표제훈음보다 자세한 것은 자전이나 교재『장원급제Ⅴ』를 참고하시오.
ː : 장음, (ː) : 장 · 단음 공용한자 例) ❸ 3급, ③ 준3급을 표시함.

한자	표제훈음	장·단음	부수	총획	육서	간체자
④ 雪	눈 설		雨,	11,	형성	
❹ 星	별 성		日,	9,	형성	
❹ 聖	성스러울 성	ː	耳,	13,	형성,	圣
❹ 盛	성할 성	ː	皿,	12,	형성	
❹ 聲	소리 성		耳,	17,	형성,	声
❹ 城	재 성		土,	10,	형성	
❹ 誠	정성 성		言,	14,	형성,	诚
④ 省	살필 성 덜 생		目,	9,	회의	
❺ 性	성품 성	ː	心,	8,	형·회	
❺ 成	이룰 성		戈,	7,	형성	
❻ 姓	성씨 성	ː	女,	8,	회·형	
③ 細	가늘 세	ː	糸,	11,	형성,	细

HAN 준3급 한자(800字) 표제훈음

참고 * ※선정한자 표제훈음보다 자세한 것은 자전이나 교재 『장원급제Ⅴ』를 참고하시오.
ː : 장음, (ː) : 장 · 단음 공용한자 例) ❸ 3급, ③ 준3급을 표시함.

한자	표제훈음	장·단음	부수	총획	육서	간체자
③ 稅	세금 세	ː	禾,	12,	형성	
❹ 勢	권세 세	ː	力,	13,	형성,	势
❹ 歲	해 세	ː	止,	13,	형성,	岁
④ 洗	씻을 세	ː	水,	9,	형성	
⑤ 世	세상 세	ː	一,	5,	지사	
③ 掃	쓸 소	(ː)	手,	11,	형성,	扫
③ 笑	웃음 소	ː	竹,	10,	형성	
③ 素	흴,본디 소	(ː)	糸,	10,	회의	
④ 消	사라질 소		水,	10,	형성	
❺ 所	바 소	ː	户,	8,	형성	
⑤ 少	적을 소	ː	小,	4,	형성	
❼ 小	작을 소	ː	小,	3,	회지	

준3급 한자(800字) 표제훈음

참고 ※선정한자 표제훈음보다 자세한 것은 자전이나 교재『장원급제Ⅴ』를 참고하시오.
ː: 장음, (ː): 장·단음 공용한자 例) ❸ 3급, ③ 준3급을 표시함.

한자	표제훈음	장·단음	부수	총획	육서	간체자
③ 續	이을 속		糸,	21,	형성,	续
③ 俗	풍속 속		人,	9,	형성	
❹ 束	묶을 속		木,	7,	회의	
④ 速	빠를 속		辵,	11,	형성	
④ 孫	손자 손	(ː)	子,	10,	회의,	孙
③ 松	소나무 송		木,	8,	형성	
❹ 送	보낼 송	ː	辵,	10,	형성	
③ 收	거둘 수		攴,	6,	형성	
③ 愁	근심 수		心,	13,	형성	
③ 修	닦을 수		人,	10,	형성	
③ 受	받을 수	(ː)	又,	8,	회의	
❹ 授	줄 수		手, 1	1,	형성	

준3급 한자(800字) 표제훈음

참고 ※선정한자 표제훈음보다 자세한 것은 자전이나 교재『장원급제Ⅴ』를 참고하시오.
ː: 장음, (ː): 장·단음 공용한자 例) ❸ 3급, ③ 준3급을 표시함.

한자	표제훈음	장·단음	부수	총획	육서	간체자
❹ 守	지킬 수		宀,	6,	회의	
④ 樹	나무 수		木,	16,	형성,	树
④ 數	셈수/자주 삭 빽빽할 촉	ː	攴,	15,	형성,	数
❺ 首	머리 수		首,	9,	상형	
❽ 水	물 수		水,	4,	상형	
❼ 手	손 수	(ː)	手,	4,	상형	
④ 宿	잠잘 숙 별 수	(ː)	宀,	11	형성	
③ 純	순수할 순		糸,	10,	형성,	纯
④ 順	순할 순	ː	頁,	12,	회·형,	顺
③ 戌	개 술		戈,	6,	상형	
④ 術	재주 술		行,	11,	형성,	术
③ 拾	주울 습 열 십		手,	9,	형성	

준3급 한자(800字) 표제훈음

참고 ※선정한자 표제훈음보다 자세한 것은 자전이나 교재『장원급제Ⅴ』를 참고하시오.
ː: 장음, (ː): 장 · 단음 공용한자　例) ❸ 3급, ③ 준3급을 표시함.

한자	표제훈음	장·단음	부수	총획	육서	간체자
④ 習	익힐 습		羽,	11,	회의,	习
③ 承	이을 승		手,	8,	회의	
④ 勝	이길 승		力,	12,	형성,	胜
❹ 視	볼 시	ː	見,	12,	형성,	视
❹ 試	시험 시	(ː)	言,	13,	형성,	试
❹ 是	옳을 시	ː	日,	9,	회의	
④ 始	처음 시	ː	女,	8,	형성	
❺ 詩	글 시		言,	13,	형성,	诗
❺ 時	때 시		日,	10,	형성,	时
❺ 示	보일 시	ː	示,	5,	지사	
❺ 市	저자 시	ː	巾,	5,	회·형	
③ 息	숨쉴 식		心,	10,	회의	

준3급 한자(800字) 표제훈음

참고 ※선정한자 표제훈음보다 자세한 것은 자전이나 교재『장원급제Ⅴ』를 참고하시오.
ː: 장음, (ː): 장·단음 공용한자 例) ❸ 3급, ③ 준3급을 표시함.

한자	표제훈음	장·단음	부수	총획	육서	간체자
④ 識	알 식 기록할 지		言,	19,	형성,	识
④ 式	법 식		弋,	6,	형성	
❺ 植	심을 식		木,	12,	형성,	植
⑤ 食	먹을 식 밥 사		食,	9,	회의	
③ 辛	매울 신		辛,	7,	상형	
③ 申	펼 신		田,	5,	상형	
④ 臣	신하 신		臣,	6,	상형	
❺ 神	귀신 신		示,	10,	형성	
❺ 身	몸 신		身,	7,	상형	
❺ 信	믿을 신		人,	9,	회의	
❺ 新	새로울 신		斤,	13,	회·형	
④ 實	열매 실		宀,	14,	회의,	实

HAN 준3급 한자(800字) 표제훈음

참고 * ※선정한자 표제훈음보다 자세한 것은 자전이나 교재 『장원급제V』를 참고하시오.
ː: 장음, (ː): 장 · 단음 공용한자 例) ❸ 3급, ③ 준3급을 표시함.

한자	표제훈음	장·단음	부수	총획	육서	간체자
④ 失	잃을 실		大,	5,	형성	
❺ 室	집 실		宀,	9,	회·형	
❻ 心	마음 심		心,	4,	상형	
❽ 十	열 십 열 시		十,	2,	지사	
❹ 氏	성씨 씨 나라이름 지		氏,	4,	상형	
④ 兒	아이 아		儿,	8,	상형,	儿
❹ 惡	악할 악 미워할 오		心,	12,	형성,	恶
❹ 眼	눈 안		目,	11,	형성	
❹ 案	책상,생각 안		木,	10,	형성	
❺ 安	편안할 안		宀,	6,	회의	
❹ 暗	어두울 암		日,	13,	형성	
⑤ 央	가운데 앙		大,	5,	회의	

준3급 한자(800字) 표제훈음

참고 ※선정한자 표제훈음보다 자세한 것은 자전이나 교재『장원급제Ⅴ』를 참고하시오.
ː : 장음, (ː) : 장 · 단음 공용한자 例) ❸ 3급, ③ 준3급을 표시함.

한자	표제훈음	장·단음	부수	총획	육서	간체자
④ 愛	사랑 애	ː	心,	13,	형성,	爱
④ 野	들 야	ː	里,	11,	형성	
❺ 夜	밤 야	ː	夕,	8,	형성	
③ 若	같을,만약 약 땅이름 야		艸,	9,	회의	
❹ 約	맺을 약		糸,	9,	형성,	约
④ 藥	약 약		艸,	19,	형성,	药
❺ 弱	약할 약		弓,	10,	회의	
❹ 養	기를 양	ː	食,	15,	형성,	养
④ 陽	볕 양		阜,	12,	형성,	阳
④ 洋	큰바다 양		水,	9,	형성	
❻ 羊	양 양		羊,	6,	상형	
④ 漁	고기잡을 어		水,	14,	형성,	渔

준3급 한자(800字) 표제훈음

참고 ※선정한자 표제훈음보다 자세한 것은 자전이나 교재『장원급제Ⅴ』를 참고하시오.
ː : 장음, (ː) : 장 · 단음 공용한자 例) ❸ 3급, ③ 준3급을 표시함.

한자	표제훈음	장·단음	부수	총획	육서	간체자
❺ 語	말씀 어	ː	言,	14,	형성,	语
❻ 魚	물고기 어		魚,	11,	상형,	鱼
④ 億	억 억		人,	15,	형성,	亿
❺ 言	말씀 언		言,	7,	회의	
④ 業	일 업		木,	13,	상형,	业
③ 與	더불,줄 여	ː	臼,	14,	회의,	与
❹ 餘	남을 여		食,	16,	형성,	馀
④ 如	같을 여		女,	6,	형성	
③ 逆	거스를 역		辵,	10,	형성	
③ 研	갈 연	ː	石,	11,	형성	
③ 煙	연기 연		火,	13,	형성,	烟
④ 然	그럴 연		火,	12,	형성	

준3급 한자(800字) 표제훈음

참고 ※선정한자 표제훈음보다 자세한 것은 자전이나 교재『장원급제Ⅴ』를 참고하시오.
ː : 장음, (ː) : 장 · 단음 공용한자 例) ❸ 3급, ③ 준3급을 표시함.

한자	표제훈음	장·단음	부수	총획	육서	간체자
④ 熱	더울 열		火,	15,	형성,	热
④ 葉	잎 엽 땅이름 섭		艸,	13,	형성,	叶
③ 營	경영할 영		火,	17,	형성,	营
③ 榮	영화 영		木,	14,	형성,	荣
❺ 永	길 영	ː	水,	5,	상형	
❺ 英	꽃부리 영		艸,	9,	형성	
④ 藝	재주 예	ː	艸,	19,	회·형,	艺
③ 誤	그릇될 오	ː	言,	14,	형성,	误
❺ 午	낮 오	ː	十,	4,	상형	
❽ 五	다섯 오	ː	二,	4,	지사	
④ 屋	집 옥		尸,	9,	회의	
❻ 玉	구슬 옥		玉,	5,	상형	

준3급 한자(800字) 표제훈음

참고 ※선정한자 표제훈음보다 자세한 것은 자전이나 교재『장원급제Ⅴ』를 참고하시오.
ː : 장음, (ː) : 장 · 단음 공용한자 例) ❸ 3급, ③ 준3급을 표시함.

한자	표제훈음	장·단음	부수	총획	육서	간체자
④ 溫	따뜻할 온		水,	13,	형성,	温
❹ 完	완전할 완		宀,	7,	형성	
❹ 往	갈 왕	ː	彳,	8,	형성	
⑤ 王	임금 왕		玉,	4,	지사	
❼ 外	바깥 외	ː	夕,	5,	회의	
③ 謠	노래 요		言,	17,	형성,	谣
❹ 曜	빛날 요		日,	18,	형성	
④ 要	구할 요		襾,	9,	상형	
❹ 浴	목욕할 욕		水,	10,	형성	
③ 容	얼굴 용		宀,	10,	회의	
④ 勇	날쌜 용	ː	力,	9,	형성	
❺ 用	쓸 용	ː	用,	5,	회의	

준3급 한자(800字) 표제훈음

참고 ※선정한자 표제훈음보다 자세한 것은 자전이나 교재『장원급제Ⅴ』를 참고하시오.
ː : 장음, (ː) : 장 · 단음 공용한자 例) ❸ 3급, ③ 준3급을 표시함.

한자	표제훈음	장·단음	부수	총획	육서	간체자
③ 遇	만날 우		辵,	13,	형성	
❹ 雨	비 우	ː	雨,	8,	상형	
❺ 友	벗 우	ː	又,	4,	회의	
❻ 牛	소 우		牛,	4,	상형	
❼ 右	오른 우	ː	口,	5,	회의	
④ 雲	구름 운		雨,	12,	형성,	云
④ 運	움직일 운	ː	辵,	13,	형성,	运
❹ 雄	수컷 웅		隹,	12,	형성	
③ 圓	둥글 원		囗,	13,	형성,	圆
③ 員	인원 원		口,	10,	형성,	员
❹ 願	원할 원	ː	頁,	19,	형성,	愿
④ 園	동산 원		囗,	13,	형성,	园

준3급 한자(800字) 표제훈음

참고 * ※선정한자 표제훈음보다 자세한 것은 자전이나 교재『장원급제Ⅴ』를 참고하시오.
ː: 장음, (ː): 장 · 단음 공용한자 例) ❸ 3급, ③ 준3급을 표시함.

한자	표제훈음	장·단음	부수	총획	육서	간체자
④ 院	집 원		阜,	10,	형성	
❺ 遠	멀 원	ː	辵,	14,	형성,	远
❺ 原	언덕,근본 원		厂,	10,	회의	
❺ 元	으뜸 원		儿,	4,	회의	
❽ 月	달 월		月,	4,	상형	
③ 危	위태할 위		卩,	6,	회의	
❹ 偉	클 위		人,	11,	형성,	伟
❹ 爲	할 위		爪,	12,	상형,	为
⑤ 位	자리 위		人,	7,	회의	
③ 遺	남길 유		辵,	16,	형성,	遗
③ 酉	닭 유		酉,	7,	상형	
③ 乳	젖 유		乙,	8,	회의	

준3급 한자(800字) 표제훈음

참고 ※선정한자 표제훈음보다 자세한 것은 자전이나 교재『장원급제Ⅴ』를 참고하시오.
ː: 장음, (ː): 장·단음 공용한자 例) ❸ 3급, ③ 준3급을 표시함.

한자	표제훈음	장·단음	부수	총획	육서	간체자
④ 油	기름 유		水,	8,	형성	
④ 由	말미암을 유		田,	5,	상형	
❺ 有	있을 유	ː	月,	6,	회·형	
❺ 肉	고기 육		肉,	6,	상형	
❺ 育	기를 육		肉,	8,	회·형	
❹ 恩	은혜 은		心,	10,	형성	
❺ 銀	은 은		金,	14,	형성,	银
③ 乙	새 을		乙,	1,	상형	
③ 陰	그늘 음		阜,	11,	형성,	阴
④ 飲	마실 음	ː	食,	13,	형·회,	饮
❺ 音	소리 음		音,	9,	지사	
❺ 邑	고을 읍		邑,	7,	회의	

준3급 한자(800字) 표제훈음

참고 ※선정한자 표제훈음보다 자세한 것은 자전이나 교재『장원급제Ⅴ』를 참고하시오.
ː : 장음, (ː) : 장 · 단음 공용한자 例) ❸ 3급, ③ 준3급을 표시함.

한자	표제훈음	장·단음	부수	총획	육서	간체자
③ 應	응할 응	ː	心,	17,	형성,	应
③ 依	의지할 의		人,	8,	형성	
❹ 義	옳을 의	ː	羊,	13,	회의,	义
④ 醫	의원 의		酉,	18,	회의,	医
❺ 意	뜻 의	ː	心,	13,	회의	
⑤ 衣	옷 의		衣,	6,	상형	
③ 異	다를 이	ː	田,	11,	회의,	异
③ 貳	두 이	ː	貝,	12,	회의,	贰
❹ 移	옮길 이		禾,	11,	형성	
④ 以	써 이	ː	人,	5,	형성	
❻ 耳	귀 이	ː	耳,	6,	상형	
❽ 二	두 이	ː	二,	2,	지사	

준3급 한자(800字) 표제훈음

참고 * ※선정한자 표제훈음보다 자세한 것은 자전이나 교재『장원급제Ⅴ』를 참고하시오.
ː : 장음, (ː) : 장 · 단음 공용한자 例) ❸ 3급, ③ 준3급을 표시함.

한자	표제훈음	장·단음	부수	총획	육서	간체자
③ 益	더할 익		皿,	10,	회의	
③ 引	끌 인		弓,	4,	회의	
③ 印	도장 인		卩,	6,	회의	
③ 寅	범 인		宀,	11,	회의	
③ 認	알 인		言,	14,	형성,	认
④ 因	인할 인		口,	6,	회의	
❽ 人	사람 인		人,	2,	상형	
③ 壹	한 일		士,	12,	형성	
❽ 日	날 일		日,	4,	상형	
❽ 一	한 일		一,	1,	지사	
③ 壬	천간,북방 임	ː	士,	4,	상형	
④ 任	맡길 임	(ː)	人,	6,	형성	

준3급 한자(800字) 표제훈음

참고 ※선정한자 표제훈음보다 자세한 것은 자전이나 교재 『장원급제Ⅴ』를 참고하시오.
ː: 장음, (ː): 장·단음 공용한자 例) ❸ 3급, ③ 준3급을 표시함.

한자	표제훈음	장·단음	부수	총획	육서	간체자
❼ 入	들 입		入,	2,	상형	
❹ 姊	맏누이 자		女,	8,	형성	
④ 者	놈 자		老,	9,	회의,	者
⑤ 字	글자 자		子,	6,	회·형	
⑤ 自	스스로 자		自,	6,	상형	
❽ 子	아들 자		子,	3,	상형	
④ 昨	어제 작		日,	9,	형성	
❺ 作	지을 작		人,	7,	형성	
③ 壯	씩씩할 장	ː	士,	7,	형성,	壮
❹ 將	장수 장	(ː)	寸,	11,	형성,	将
④ 章	글 장		立,	11,	회의	
❺ 長	긴 장	(ː)	長,	8,	상형,	长

HAN 준3급 한자(800字) 표제훈음

참고 * ※선정한자 표제훈음보다 자세한 것은 자전이나 교재『장원급제Ⅴ』를 참고하시오.
: : 장음, (:) : 장 · 단음 공용한자 例) ❸ 3급, ③ 준3급을 표시함.

한자	표제훈음		장·단음	부수	총획	육서	간체자
❺ 場	마당 도량	장 량		土,	12,	형성,	场
❹ 財	재물	재		貝,	10,	형성,	财
❹ 災	재앙	재		火,	7,	회의,	灾
④ 再	두	재	:	冂,	6,	회의	
④ 在	있을	재	:	土,	6,	형성	
④ 材	재목	재		木,	7,	형성	
❺ 才	재주	재		手,	3,	지사	
❹ 爭	다툴	쟁		爪,	8,	회의,	争
❹ 低	낮을	저	:	人,	7,	형성,	低
❹ 貯	쌓을	저	:	貝,	12,	형성,	贮
③ 適	맞을	적		辵,	15,	형성,	适
❹ 敵	원수	적		攴,	15,	형성,	敌

HAN 준3급 한자(800字) 표제훈음

참고 ※선정한자 표제훈음보다 자세한 것은 자전이나 교재『장원급제V』를 참고하시오.
ː: 장음, (ː): 장 · 단음 공용한자 例) ❸ 3급, ③ 준3급을 표시함.

한자	표제훈음	장·단음	부수	총획	육서	간체자
④ 的	과녁 적		白,	8,	형성	
④ 赤	붉을 적		赤,	7,	회의	
③ 專	오로지 전		寸,	11,	형성,	专
❹ 傳	전할 전		人,	13,	형성,	传
④ 典	법 전	ː	八,	8,	회의	
④ 戰	싸움 전	ː	戈,	16,	형성,	战
④ 展	펼 전	ː	尸,	10,	형성	
❺ 田	밭 전		田,	5,	상형	
❺ 電	번개 전	ː	雨,	13,	형성,	电
❺ 前	앞 전		刀,	9,	형성	
❺ 全	온전할 전		入,	6,	회의	
③ 絕	끊을 절		糸,	12,	형성,	绝

준3급 한자(800字) 표제훈음

참고 ※선정한자 표제훈음보다 자세한 것은 자전이나 교재『장원급제Ⅴ』를 참고하시오.
ː : 장음, (ː) : 장 · 단음 공용한자 例) ❸ 3급, ③ 준3급을 표시함.

한자	표제훈음	장·단음	부수	총획	육서	간체자
❹ 切	끊을,간절할 절 모두 체		刀,	4,	형성	
❹ 節	마디 절		竹,	15,	형성,	节
③ 點	점 점	(ː)	黑,	17,	형성,	点
❹ 店	가게 점	ː	广,	8,	형성	
③ 接	이을 접		手,	11,	형성	
③ 井	우물 정		二,	4,	상형	
③ 丁	장정 정		一,	2,	상형	
❹ 情	뜻 정		心,	11,	형성,	情
❹ 停	머무를 정		人,	11,	형성	
❹ 精	정기 정		米,	14,	형성,	精
❹ 政	정사 정		攴,	9,	형성	
④ 庭	뜰 정		广,	10,	형회	

준3급 한자(800字) 표제훈음

참고 ※선정한자 표제훈음보다 자세한 것은 자전이나 교재『장원급제Ⅴ』를 참고하시오.
ː : 장음, (ː) : 장 · 단음 공용한자 例) ❸ 3급, ③ 준3급을 표시함.

한자	표제훈음	장·단음	부수	총획	육서	간체자
④ 定	정할 정	ː	宀,	8,	회의	
⑤ 正	바를 정	(ː)	止,	5,	회의	
③ 除	덜 제		阜,	10,	형성	
③ 制	마를,법도 제	ː	刀,	8,	회의	
③ 製	지을 제	ː	衣,	14,	형성,	制
❹ 祭	제사 제	ː	示,	11,	회의	
④ 題	제목 제		頁,	18,	형성,	题
④ 第	차례 제	ː	竹,	11,	형·회	
❽ 弟	아우 제	ː	弓,	7,	회의	
③ 兆	조 조		儿,	6,	상형	
③ 造	지을 조	ː	辵,	11,	형성	
❹ 調	고를 조		言,	15,	형성,	调

준3급 한자(800字) 표제훈음

참고 * ※선정한자 표제훈음보다 자세한 것은 자전이나 교재『장원급제Ⅴ』를 참고하시오.
ː : 장음, (ː) : 장 · 단음 공용한자 例) ❸ 3급, ③ 준3급을 표시함.

한자	표제훈음	장·단음	부수	총획	육서	간체자
❹ 助	도울 조	ː	力,	7,	형성	
❹ 鳥	새 조		鳥,	11,	상형,	鸟
❹ 早	일찍 조	ː	日,	6,	회의	
❹ 操	잡을 조	(ː)	手,	16,	형성	
❺ 朝	아침 조		月,	12,	형성	
❺ 祖	할아비 조		示,	10,	형성	
④ 族	겨레 족		方,	11,	회의	
❼ 足	발 족		足,	7,	상형	
③ 尊	높을 존		寸,	12,	회의	
❹ 存	있을 존		子,	6,	형성	
④ 卒	군사 졸		十,	8,	회의	
③ 宗	마루 종		宀,	8,	회의	

HAN 준3급 한자(800字) 표제훈음

참고 * ※선정한자 표제훈음보다 자세한 것은 자전이나 교재 『장원급제Ⅴ』를 참고하시오.
: : 장음, (:) : 장 · 단음 공용한자 例) ❸ 3급, ③ 준3급을 표시함.

한자	표제훈음	장·단음	부수	총획	육서	간체자
❹ 終	마칠 종		糸,	11,	형성,	终
❹ 種	씨 종	(:)	禾,	14,	형성,	种
❹ 坐	앉을 좌	:	土,	7,	회의	
❼ 左	왼 좌	:	工,	5,	회의	
❹ 罪	허물 죄	:	网,	13,	회의	
③ 走	달릴 주		走,	7,	회의	
③ 朱	붉을 주		木,	6,	지사	
❹ 週	주일,돌 주		辵,	12,	형성,	周
④ 州	고을 주		巛,	6,	상형	
④ 注	물댈 주	:	水,	8,	형성	
❺ 晝	낮 주		日,	11,	회의,	昼
❺ 住	살 주	:	人,	7,	형성	

HAN 준3급 한자(800字) 표제훈음

참고 ※선정한자 표제훈음보다 자세한 것은 자전이나 교재 『장원급제Ⅴ』를 참고하시오.
ː: 장음, (ː): 장 · 단음 공용한자 例) ❸ 3급, ③ 준3급을 표시함.

한자	표제훈음	장·단음	부수	총획	육서	간체자
⑤ 主	주인 주		丶,	5,	상형	
❺ 竹	대 죽		竹,	6,	상형	
③ 衆	무리 중	ː	血,	12,	회의,	众
❺ 重	무거울 중	ː	里,	9,	형성	
❼ 中	가운데 중		丨,	4,	지사	
❹ 增	더할 증		土,	15,	형성	
③ 持	가질 지		手,	9,	형성	
③ 指	손가락 지		手,	9,	형성	
❹ 志	뜻 지		心,	7,	회·형	
❹ 至	이를 지		至,	6,	지사	
❹ 支	지탱할 지		支,	4,	회의	
④ 止	그칠 지		止,	4,	상형	

준3급 한자(800字) 표제훈음

참고 ※선정한자 표제훈음보다 자세한 것은 자전이나 교재 『장원급제Ⅴ』를 참고하시오.
ː : 장음, (ː) : 장 · 단음 공용한자 例) ❸ 3급, ③ 준3급을 표시함.

한자	표제훈음	장·단음	부수	총획	육서	간체자
④ 知	알 지		矢,	8,	회의	
④ 紙	종이 지		糸,	10,	형성,	纸
❻ 地	땅 지		土,	6,	형성	
③ 職	벼슬,직분 직		耳,	18,	형성,	职
❺ 直	곧을 직		目,	8,	회의,	直
③ 辰	별 진 때 신		辰,	7,	회의	
❹ 進	나아갈 진	ː	辵,	12,	형성,	进
❹ 眞	참 진		目,	10,	회의,	真
❹ 質	바탕 질		貝,	15,	형성,	质
④ 集	모일 집		隹,	12,	회의	
❹ 次	버금 차		欠,	6,	형성	
❹ 着	붙을 착		目,	12,	형성	

준3급 한자(800字) 표제훈음

참고 * ※선정한자 표제훈음보다 자세한 것은 자전이나 교재『장원급제Ⅴ』를 참고하시오.
ː : 장음, (ː) : 장 · 단음 공용한자 例) ❸ 3급, ③ 준3급을 표시함.

한자	표제훈음	장·단음	부수	총획	육서	간체자
❹ 察	살필 찰		宀,	14,	형성	
④ 參	참여할 참 석 삼		厶,	11,	형성,	参
③ 創	비롯할 창	ː	刀,	12,	형성,	创
❹ 唱	부를 창	ː	口,	11,	형성	
④ 窓	창문 창		穴,	11,	형성,	窗
③ 册	책 책		冂,	5,	상형,	册
④ 責	꾸짖을 책		貝,	11,	형성,	责
❹ 處	곳, 살 처	ː	虍,	11,	회의,	处
❻ 川	내 천		巛,	3,	상형	
❻ 千	일천 천		十,	3,	지사	
❻ 天	하늘 천		大,	4,	회의	
❹ 鐵	쇠 철		金,	21,	형성,	铁

준3급 한자(800字) 표제훈음

참고 ※선정한자 표제훈음보다 자세한 것은 자전이나 교재 『장원급제Ⅴ』를 참고하시오.
ː : 장음, (ː) : 장 · 단음 공용한자 例) ❸ 3급, ③ 준3급을 표시함.

한자	표제훈음	장·단음	부수	총획	육서	간체자
③ 聽	들을 청		耳,	22,	회의,	听
③ 請	청할 청		言,	15,	형성,	请
④ 清	맑을 청		水,	11,	형성,	清
❼ 青	푸를 청		青,	8,	형성,	青
④ 體	몸 체		骨,	23,	형성,	体
④ 初	처음 초		刀,	7,	회의	
❺ 草	풀 초		艸,	10,	형성	
❺ 村	마을 촌	ː	木,	7,	형성	
⑤ 寸	마디 촌	ː	寸,	3,	지사	
❹ 最	가장 최	ː	曰,	12,	회의	
❺ 秋	가을 추		禾,	9,	형성	
③ 丑	소 축		一,	4,	상형,	丑

준3급 한자(800字) 표제훈음

참고 ※선정한자 표제훈음보다 자세한 것은 자전이나 교재『장원급제Ⅴ』를 참고하시오.
ː: 장음, (ː): 장 · 단음 공용한자 例) ❸ 3급, ③ 준3급을 표시함.

한자	표제훈음	장·단음	부수	총획	육서	간체자
❹ 祝	빌 축		示,	10,	회의	
❺ 春	봄 춘		日,	9,	회의	
❼ 出	날 출		凵,	5,	회의	
❹ 蟲	벌레 충		虫,	18,	회의,	虫
❹ 忠	충성 충		心,	8,	형성	
④ 充	채울 충		儿,	6,	형성	
③ 取	가질 취	ː	又,	8,	회의	
③ 治	다스릴 치		水,	8,	형성	
❹ 齒	이 치		齒,	15,	상형,	齿
❹ 致	이를 치	ː	至,	10,	회의	
❹ 則	법칙 칙 곧 즉		刀,	9,	회의,	则
❺ 親	친할 친		見,	16,	형성,	亲

HAN 준3급 한자(800字) 표제훈음

참고 ※선정한자 표제훈음보다 자세한 것은 자전이나 교재『장원급제Ⅴ』를 참고하시오.
ː : 장음, (ː) : 장 · 단음 공용한자 例) ❸ 3급, ③ 준3급을 표시함.

한자	표제훈음	장·단음	부수	총획	육서	간체자
❽ 七	일곱 칠		一,	2,	지사	
③ 針	바늘,침 침	(ː)	金,	10,	형성,	针
③ 快	쾌할 쾌		心,	7,	형성	
❹ 他	다를 타		人,	5,	형성	
❹ 打	칠 타	ː	手,	5,	형성	
❹ 卓	높을 탁		十,	8,	회의	
❹ 炭	숯 탄	ː	火,	9,	회의,	炭
③ 脫	벗을 탈		肉,	11,	형성	
③ 探	찾을 탐		手,	11,	형회	
❺ 太	클 태		大,	4,	지사	
❹ 宅	집 택 집 댁		宀,	6,	형성	
③ 討	칠 토	(ː)	言,	10,	형성,	讨

준3급 한자(800字) 표제훈음

참고 ※선정한자 표제훈음보다 자세한 것은 자전이나 교재『장원급제Ⅴ』를 참고하시오.
ː: 장음, (ː): 장·단음 공용한자
例) ❸ 3급, ③ 준3급을 표시함.

한자	표제훈음	장·단음	부수	총획	육서	간체자
❽ 土	흙 토		土,	3,	상형	
❹ 統	거느릴 통	ː	糸,	12,	형성,	统
❺ 通	통할 통		辵,	11,	형성	
❹ 退	물러날 퇴	ː	辵,	10,	회의	
④ 特	특별할 특		牛,	10,	형성	
③ 破	깨뜨릴 파	ː	石,	10,	형성	
❹ 波	물결 파		水,	8,	형성	
③ 判	판단할 판		刀,	7,	형성	
❹ 板	널빤지 판		木,	8,	형성	
❽ 八	여덟 팔 여덟 파		八,	2,	지사	
❹ 敗	패할 패	ː	攴,	11,	형성,	败
❺ 貝	조개 패	ː	貝,	7,	상형,	贝

준3급 한자(800字) 표제훈음

참고 ※선정한자 표제훈음보다 자세한 것은 자전이나 교재 『장원급제V』를 참고하시오.
ː : 장음, (ː) : 장 · 단음 공용한자 例) ❸ 3급, ③ 준3급을 표시함.

한자	표제훈음	장·단음	부수	총획	육서	간체자
③ 片	조각 편	(ː)	片,	4,	지사	
❺ 便	편할 편 똥오줌 변	(ː)	人,	9,	회의	
❺ 平	평평할 평		干,	5,	회의	
③ 布	베,펼 포 펼 보	(ː)	巾,	5,	형성	
③ 暴	사나울(폭) 포 드러낼 폭		日,	15,	회의	
③ 包	쌀 포	(ː)	勹,	5,	상형	
③ 票	표,쪽지 표		示,	11,	회의	
④ 表	겉 표		衣,	8,	회의	
④ 品	물건 품	ː	口,	9,	회의	
④ 風	바람 풍		風,	9,	형성,	风
❹ 筆	붓 필		竹,	12,	회의,	笔
④ 必	반드시 필		心,	5,	회의	

준3급 한자(800字) 표제훈음

참고 * ※선정한자 표제훈음보다 자세한 것은 자전이나 교재『장원급제Ⅴ』를 참고하시오.
ː : 장음, (ː) : 장 · 단음 공용한자 例) ❸ 3급, ③ 준3급을 표시함.

한자	표제훈음		장·단음	부수	총획	육서	간체자
④ 河	물	하		水,	8,	형성	
❺ 夏	여름	하	ː	夂,	10,	회의	
❼ 下	아래	하	ː	一,	3,	지사	
❺ 學	배울	학		子,	16,	회·형,	学
❹ 寒	찰	한		宀,	12,	회의	
❹ 限	한정	한	ː	阜,	9,	형성	
❺ 韓	나라이름	한	(ː)	韋,	17,	형성,	韩
❺ 漢	한수	한	ː	水,	14,	형성,	汉
❺ 合	합할 홉	합 홉		口,	6,	회의	
③ 亥	돼지	해		亠,	6,	상형	
③ 解	풀	해	ː	角,	13,	회의,	觧
❹ 害	해칠	해	ː	宀,	10,	형·회	

HAN 준3급 한자(800字) 표제훈음

참고 ※선정한자 표제훈음보다 자세한 것은 자전이나 교재『장원급제Ⅴ』를 참고하시오.
ː: 장음, (ː): 장·단음 공용한자 例) ❸ 3급, ③ 준3급을 표시함.

한자	표제훈음	장·단음	부수	총획	육서	간체자
❺ 海	바다 해	ː	水,	10,	형성	
④ 幸	다행 행	ː	干,	8,	회의	
❺ 行	다닐 행 항렬 항	(ː)	行,	6,	상형	
③ 鄉	시골,마을 향		邑,	13,	회의,	乡
❹ 香	향기 향		香,	9,	회의	
⑤ 向	향할 향	ː	口,	6,	상형	
③ 虛	빌 허		虍,	12,	형성,	虚
❹ 許	허락할 허		言,	11,	형성,	许
③ 驗	시험 험	ː	馬,	23,	형성,	验
③ 賢	어질 현		貝,	15,	형성,	贤
④ 現	나타날 현	ː	玉,	11,	형성,	现
❺ 血	피 혈		血,	6,	지사	

준3급 한자(800字) 표제훈음

참고 * ※선정한자 표제훈음보다 자세한 것은 자전이나 교재『장원급제Ⅴ』를 참고하시오.
ː : 장음, (ː) : 장·단음 공용한자 例) ❸ 3급, ③ 준3급을 표시함.

한자	표제훈음	장·단음	부수	총획	육서	간체자
❹ 協	도울 협		十,	8,	형성,	协
❺ 形	모양 형		彡,	7,	형성	
❽ 兄	맏 형		儿,	5,	회의	
❹ 惠	은혜 혜	ː	心,	12,	회의	
③ 呼	부를 호		口,	8,	형성	
③ 户	지게문 호	ː	户,	4,	상형	
❹ 好	좋을 호	ː	女,	6,	회의	
❹ 湖	호수 호		水,	12,	형성	
④ 號	이름 호	ː	虍,	13,	형성,	号
③ 貨	재화 화	ː	貝,	11,	형성,	货
④ 畫	그림 화 그을 획	ː	田,	12,	회의,	画
④ 化	될,변화할 화	(ː)	匕,	4,	회의	

준3급 한자(800字) 표제훈음

참고 ※선정한자 표제훈음보다 자세한 것은 자전이나 교재『장원급제Ⅴ』를 참고하시오.
ː: 장음, (ː): 장 · 단음 공용한자 例) ❸ 3급, ③ 준3급을 표시함.

한자	표제훈음	장·단음	부수	총획	육서	간체자
❺ 花	꽃 화		艸,	8,	형성	
❺ 話	말씀 화	(ː)	言,	13,	형성,	话
❺ 和	화할,화목할 화		口,	8,	형성	
❽ 火	불 화	(ː)	火,	4,	상형	
❹ 患	근심 환	ː	心,	11,	형성	
❺ 活	살 활		水,	9,	형성	
❺ 黃	누를 황		黃,	12,	형성,	黄
❹ 回	돌 회		囗,	6,	상형	
❺ 會	모일 회	ː	曰,	13,	회의,	会
❺ 孝	효도 효	ː	子,	7,	회의	
③ 候	기후 후		人,	10,	형성	
❺ 後	뒤 후	ː	彳,	9,	회의	

준3급 한자(800字) 표제훈음

참고 ※선정한자 표제훈음보다 자세한 것은 자전이나 교재 『장원급제Ⅴ』를 참고하시오.
ː: 장음, (ː): 장 · 단음 공용한자 例) ❸ 3급, ③ 준3급을 표시함.

한자	표제훈음	장·단음	부수	총획	육서	간체자
④ 訓	가르칠 훈	ː	言,	10,	형성,	训
⑤ 休	쉴 휴		人,	6,	회의	
③ 吸	숨들이쉴 흡		口,	7,	회의	
❹ 效	본받을 효	ː	攴,	10,	형성	
④ 凶	흉할 흉		凵,	4,	지사	
④ 黑	검을 흑		黑,	12,	회의	
③ 興	일어날 흥	(ː)	臼,	16,	회의,	兴
③ 希	바랄 희		巾,	7,	회의	

▶ 다음은 준3급에 추가된 신출한자 200字입니다. 다음 한자를 정자로 쓰고 아래 한자어의 讀音을 쓰시오.

街	街	街						

거리 가　行, 12획 | 街道(　　　　　), 街路樹(　　　　　)

假	假	假						

거짓 가　人, 11획 | 假想(　　　　　), 假面(　　　　　)

佳	佳	佳						

아름다울가　人, 8획 | 佳境(　　　　　), 佳人(　　　　　)

干	干	干						

방패 간　干, 3획 | 干滿(　　　　　), 若干(　　　　　)

看	看	看						

볼　간　目, 9획 | 看過(　　　　　), 看病(　　　　　)

[☞ 글씨는 뒷표지 안쪽 기본 점획표를 익혀 정자로 바르게 씁시다.]

※획수는 총 획수를 나타냄

▶ 다음은 준3급에 추가된 신출한자 200字입니다. 다음 한자를 정자로 쓰고 아래 한자어의 讀音을 쓰시오.

甲	甲	甲						

껍질,갑옷갑 田, 5획 進甲(　　　　　), 鐵甲(　　　　　)

降	降	降						

내릴 강 阜, 9획 降等(　　　　　), 降伏(　　　　　)

講	講	講						

익힐 강 言, 17획 講義(　　　　　), 開講(　　　　　)

康	康	康						

편안할강 广, 11획 健康(　　　　　), 康福(　　　　　)

巨	巨	巨						

클 거 工, 5획 巨富(　　　　　), 巨商(　　　　　)

[☞ 글씨는 뒷표지 안쪽 기본 점획표를 익혀 정자로 바르게 씁시다.] ※획수는 총 획수를 나타냄

▶ 다음은 준3급에 추가된 신출한자 200字입니다. 다음 한자를 정자로 쓰고 아래 한자어의 讀音을 쓰시오.

檢	檢	檢						

검사할검 木, 17획 | 檢查( ), 點檢( )

儉	儉	儉						

검소할검 人, 15획 | 儉素( ), 儉約( )

潔	潔	潔						

깨끗할결 水, 7획 | 潔白( ), 純潔( )

警	警	警						

경계할경 言, 20획 | 警戒( ), 警察( )

慶	慶	慶						

경사 경 心, 15획 | 慶祝( ), 慶事( )

[☞ 글씨는 뒷표지 안쪽 기본 점획표를 익혀 정자로 바르게 씁시다.] ※획수는 총 획수를 나타냄

▶ 다음은 준3급에 추가된 신출한자 200字입니다. 다음 한자를 정자로 쓰고 아래 한자어의 讀音을 쓰시오.

更	更	更						

다시 갱 曰, 7획 | 更新( ), 更紙( )

耕	耕	耕						

밭갈 경 耒, 10획 | 農耕( ), 耕作( )

境	境	境						

지경 경 土, 14획 | 境界( ), 國境( )

經	經	經						

지날,글경 糸, 13획 | 經過( ), 經歷( )

庚	庚	庚						

천간,별경 广, 8획 | 庚戌( ), 庚伏( )

[☞ 글씨는 뒷표지 안쪽 기본 점획표를 익혀 정자로 바르게 씁시다.] ※획수는 총 획수를 나타냄

▶ 다음은 준3급에 추가된 신출한자 200字입니다. 다음 한자를 정자로 쓰고 아래 한자어의 讀音을 쓰시오.

戒 戒 戒

경계할계 戈, 7획 戒律(   ), 訓戒(   )

溪 溪 溪

시내 계 水, 13획 溪谷(   ), 溪流(   )

繼 繼 繼

이을 계 糸, 20획 繼續(   ), 引繼(   )

癸 癸 癸

천간,북방계 癶, 9획 癸亥(   ), 癸水(   )

庫 庫 庫

곳집 고 广, 10획 書庫(   ), 車庫(   )

[☞ 글씨는 뒷표지 안쪽 기본 점획표를 익혀 정자로 바르게 씁시다.] ※획수는 총 획수를 나타냄

▶ 다음은 준3급에 추가된 신출한자 200字입니다. 다음 한자를 정자로 쓰고 아래 한자어의 讀音을 쓰시오.

谷	谷	谷						

골 곡 谷, 7획 | 溪谷( ), 谷口( )

官	官	官						

벼슬 관 宀, 8획 | 官職( ), 官舍( )

究	究	究						

궁구할구 穴, 7획 | 硏究( ), 探究( )

句	句	句						

글귀 구 口, 5획 | 句節( ), 絶句( )

群	群	群						

무리 군 羊, 13획 | 群衆( ), 群落( )

[☞ 글씨는 뒷표지 안쪽 기본 점획표를 익혀 정자로 바르게 씁시다.]

※획수는 총 획수를 나타냄

▶ 다음은 준3급에 추가된 신출한자 200字입니다. 다음 한자를 정자로 쓰고 아래 한자어의 讀音을 쓰시오.

弓	弓	弓						

활 궁 弓, 3획 | 弓術( ), 洋弓( )

權	權	權						

권세 권 木, 22획 | 權限( ), 權利( )

歸	歸	歸						

돌아갈귀 止, 18획 | 歸家( ), 歸鄕( )

均	均	均						

고를 균 土, 7획 | 均等( ), 平均( )

禁	禁	禁						

금할 금 示, 13획 | 禁煙( ), 禁止( )

[☞ 글씨는 뒷표지 안쪽 기본 점획표를 익혀 정자로 바르게 씁시다.]

※획수는 총 획수를 나타냄

▶ 다음은 준3급에 추가된 신출한자 200字입니다. 다음 한자를 정자로 쓰고 아래 한자어의 讀音을 쓰시오.

及	及	及						

미칠 급 　又, 4획 　及第( ), 可及的( )

起	起	起						

일어날기 　走, 10획 　起床( ), 想起( )

暖	暖	暖						

따뜻할난 　日, 13획 　暖房( ), 暖流( )

難	難	難						

어려울난 　隹, 19획 　苦難( ), 難處( )

納	納	納						

들일 납 　糸, 10획 　納稅( ), 容納( )

[☞ 글씨는 뒷표지 안쪽 기본 점획표를 익혀 정자로 바르게 씁시다.] 　※획수는 총 획수를 나타냄

▶ 다음은 준3급에 추가된 신출한자 200字입니다. 다음 한자를 정자로 쓰고 아래 한자어의 讀音을 쓰시오.

乃	乃	乃						

이에 내 丿, 2획 ⋮ 乃至( ), 終乃( )

怒	怒	怒						

성낼 노 心, 9획 ⋮ 怒發大發( )

努	努	努						

힘쓸 노 力, 7획 ⋮ 努力( )

斷	斷	斷						

끊을 단 斤, 18획 ⋮ 斷念( ), 決斷( )

丹	丹	丹						

붉을 단 丶, 4획 ⋮ 丹心( ), 牧丹( )

[☞ 글씨는 뒷표지 안쪽 기본 점획표를 익혀 정자로 바르게 씁시다.] ※획수는 총 획수를 나타냄

▶ 다음은 준3급에 추가된 신출한자 200字입니다. 다음 한자를 정자로 쓰고 아래 한자어의 讀音을 쓰시오.

單	單	單						

홑 단 口, 12획 | 單獨( ), 單位( )

達	達	達						

통달할달 辶, 13획 | 達成( ), 發達( )

隊	隊	隊						

무리 대 阝, 12획 | 軍隊( ), 隊列( )

徒	徒	徒						

무리 도 彳, 10획 | 徒步( ), 暴徒( )

斗	斗	斗						

말 두 斗, 4획 | 北斗七星( )

[☞ 글씨는 뒷표지 안쪽 기본 점획표를 익혀 정자로 바르게 씁시다.]

※획수는 총 획수를 나타냄

▶ 다음은 준3급에 추가된 신출한자 200字입니다. 다음 한자를 정자로 쓰고 아래 한자어의 讀音을 쓰시오.

豆	豆	豆						

콩 두 豆, 7획 | 豆乳( ), 豆滿江( )

得	得	得						

얻을 득 彳, 11획 | 得失( ), 習得( )

燈	燈	燈						

등잔 등 火, 16획 | 消燈( ), 燈油( )

略	略	略						

간략할 략 田, 11획 | 計略( ), 略圖( )

連	連	連						

이을 련 辶, 11획 | 連結( ), 連休( )

[☞ 글씨는 뒷표지 안쪽 기본 점획표를 익혀 정자로 바르게 씁시다.] ※획수는 총 획수를 나타냄

▶ 다음은 준3급에 추가된 신출한자 200字입니다. 다음 한자를 정자로 쓰고 아래 한자어의 讀音을 쓰시오.

烈	烈	烈						

매울 렬 火, 10획 極烈( ), 壯烈( )

列	列	列						

벌일 렬 刀, 6획 列擧( ), 序列( )

錄	錄	錄						

기록할 록 金, 16획 記錄( ), 目錄( )

論	論	論						

논할 론 言, 15획 論難( ), 理論( )

倫	倫	倫						

인륜 륜 人, 10획 倫理( ), 五倫( )

[☞ 글씨는 뒷표지 안쪽 기본 점획표를 익혀 정자로 바르게 씁시다.] ※획수는 총 획수를 나타냄

▶ 다음은 준3급에 추가된 신출한자 200字입니다. 다음 한자를 정자로 쓰고 아래 한자어의 讀音을 쓰시오.

莫	莫	莫						

없을 막 艸, 11획 | 莫論(　　　　　), 莫逆(　　　　　)

滿	滿	滿						

찰 만 水, 14획 | 滿期(　　　　　), 滿足(　　　　　)

忘	忘	忘						

잊을 망 心, 7획 | 白骨難忘(　　　　　)

妙	妙	妙						

묘할 묘 女, 7획 | 妙技(　　　　　), 妙案(　　　　　)

卯	卯	卯						

토끼 묘 卩, 5획 | 己卯(　　　　　), 卯生酉向(　　　　　)

[☞ 글씨는 뒷표지 안쪽 기본 점획표를 익혀 정자로 바르게 씁시다.]

※획수는 총 획수를 나타냄

▶ 다음은 준3급에 추가된 신출한자 200字입니다. 다음 한자를 정자로 쓰고 아래 한자어의 讀音을 쓰시오.

戊	戊	戊						

천간,별무 戈, 5획 戊午( ), 戊子( )

務	務	務						

힘쓸 무 力, 11획 業務( ), 任務( )

尾	尾	尾						

꼬리 미 尸, 7획 尾行( ), 語尾( )

密	密	密						

빽빽할밀 宀, 11획 密集( ), 細密( )

飯	飯	飯						

밥 반 食, 13획 飯店( ), 白飯( )

[☞ 글씨는 뒷표지 안쪽 기본 점획표를 익혀 정자로 바르게 씁시다.] ※획수는 총 획수를 나타냄

▶ 다음은 준3급에 추가된 신출한자 200字입니다. 다음 한자를 정자로 쓰고 아래 한자어의 讀音을 쓰시오.

防	防	防						

막을 방 阜, 7획 防備( ), 防除( )

房	房	房						

방 방 户, 8획 册房( ), 暖房( )

訪	訪	訪						

찾을 방 言, 11획 訪問( ), 探訪( )

背	背	背						

등 배 肉(月),9획 背景( ), 背書( )

拜	拜	拜						

절 배 手, 9획 歲拜( ), 參拜( )

[☞ 글씨는 뒷표지 안쪽 기본 점획표를 익혀 정자로 바르게 씁시다.] ※획수는 총 획수를 나타냄

▶ 다음은 준3급에 추가된 신출한자 200字입니다. 다음 한자를 정자로 쓰고 아래 한자어의 讀音을 쓰시오.

罰	罰	罰						

벌할 벌 网, 14획 罰點(　　　　), 罰則(　　　　)

伐	伐	伐						

칠 벌 人, 6획 伐草(　　　　), 討伐(　　　　)

丙	丙	丙						

남녘 병 一, 5획 丙寅(　　　　), 丙種(　　　　)

寶	寶	寶						

보배 보 宀, 20획 國寶(　　　　), 寶物(　　　　)

保	保	保						

지킬 보 人, 9획 保安(　　　　), 保全(　　　　)

[☞ 글씨는 뒷표지 안쪽 기본 점획표를 익혀 정자로 바르게 씁시다.] ※획수는 총 획수를 나타냄

▶ 다음은 준3급에 추가된 신출한자 200字입니다. 다음 한자를 정자로 쓰고 아래 한자어의 讀音을 쓰시오.

復	復	復						

돌아올복 彳, 12획 復習(　　　　), 復興(　　　　)

伏	伏	伏						

엎드릴복 人, 6획 三伏(　　　　), 降伏(　　　　)

否	否	否						

아닐 부 口, 7획 可否(　　　　), 否認(　　　　)

佛	佛	佛						

부처 불 人, 7획 佛經(　　　　), 佛敎(　　　　)

飛	飛	飛						

날 비 飛, 9획 雄飛(　　　　), 飛上(　　　　)

[☞ 글씨는 뒷표지 안쪽 기본 점획표를 익혀 정자로 바르게 씁시다.] ※획수는 총 획수를 나타냄

▶ 다음은 준3급에 추가된 신출한자 200字입니다. 다음 한자를 정자로 쓰고 아래 한자어의 讀音을 쓰시오.

悲	悲	悲						

슬플 비 心, 12획 ⁝ 悲歌( ), 悲報( )

非	非	非						

아닐 비 非, 8획 ⁝ 是非( ), 非常( )

巳	巳	巳						

뱀 사 己, 3획 ⁝ 辛巳( ), 巳年( )

絲	絲	絲						

실 사 糸, 12획 ⁝ 原絲( ), 鐵絲( )

寺	寺	寺						

절 사 寸, 6획 ⁝ 寺院( ), 山寺( )

[☞ 글씨는 뒷표지 안쪽 기본 점획표를 익혀 정자로 바르게 씁시다.] ※획수는 총 획수를 나타냄

▶ 다음은 준3급에 추가된 신출한자 200字입니다. 다음 한자를 정자로 쓰고 아래 한자어의 讀音을 쓰시오.

舍	舍	舍						

집 사 舌, 8획 舍監( ), 舍宅( )

散	散	散						

흩어질산 攴, 12획 解散( ), 散在( )

殺	殺	殺						

죽일 살 殳, 11획 殺伐( ), 殺到( )

狀	狀	狀						

모양 상 犬, 8획 形狀( ), 賞狀( )

想	想	想						

생각 상 心, 13획 空想( ), 理想( )

[☞ 글씨는 뒷표지 안쪽 기본 점획표를 익혀 정자로 바르게 씁시다.] ※획수는 총 획수를 나타냄

▶ 다음은 준3급에 추가된 신출한자 200字입니다. 다음 한자를 정자로 쓰고 아래 한자어의 讀音을 쓰시오.

床	床	床						

평상 상 广, 7획 | 病床( ), 飯床( )

舌	舌	舌						

혀 설 舌, 6획 | 舌戰( ), 長廣舌( )

細	細	細						

가늘 세 糸, 11획 | 細密( ), 細分( )

稅	稅	稅						

세금 세 禾, 12획 | 稅務( ), 課稅( )

掃	掃	掃						

쓸 소 手, 11획 | 淸掃( ), 掃除( )

[☞ 글씨는 뒷표지 안쪽 기본 점획표를 익혀 정자로 바르게 씁시다.] ※획수는 총 획수를 나타냄

▶ 다음은 준3급에 추가된 신출한자 200字입니다. 다음 한자를 정자로 쓰고 아래 한자어의 讀音을 쓰시오.

笑	笑	笑						

웃음 소 竹, 10획 談笑(　　　　　), 冷笑(　　　　　)

素	素	素						

흴,본디소 糸, 10획 儉素(　　　　　), 素材(　　　　　)

續	續	續						

이을 속 糸, 21획 繼續(　　　　　), 接續(　　　　　)

俗	俗	俗						

풍속 속 人, 9획 俗談(　　　　　), 民俗(　　　　　)

松	松	松						

소나무송 木, 8획 老松(　　　　　), 松竹(　　　　　)

[☞ 글씨는 뒷표지 안쪽 기본 점획표를 익혀 정자로 바르게 씁시다.] ※획수는 총 획수를 나타냄

▶ 다음은 준3급에 추가된 신출한자 200字입니다. 다음 한자를 정자로 쓰고 아래 한자어의 讀音을 쓰시오.

收	收	收						

거둘 수 攴, 6획 收納( ), 秋收( )

愁	愁	愁						

근심 수 心, 13획 愁心( ), 鄕愁( )

修	修	修						

닦을 수 人, 10획 修練( ), 修理( )

受	受	受						

받을 수 又, 8획 受講( ), 受信( )

純	純	純						

순수할순 糸, 10획 純眞( ), 純潔( )

[☞ 글씨는 뒷표지 안쪽 기본 점획표를 익혀 정자로 바르게 씁시다.] ※획수는 총 획수를 나타냄

▶ 다음은 준3급에 추가된 신출한자 200字입니다. 다음 한자를 정자로 쓰고 아래 한자어의 讀音을 쓰시오.

戌	戌	戌						

개 술 戈, 6획 | 戌時( ), 庚戌( )

拾	拾	拾						

주울 습 手, 9획 | 拾得( ), 收拾( )

承	承	承						

이을 승 手, 8획 | 承認( ), 傳承( )

息	息	息						

숨쉴 식 心, 10획 | 休息( ), 子息( )

辛	辛	辛						

매울 신 辛, 7획 | 辛苦( ), 辛勝( )

[☞ 글씨는 뒷표지 안쪽 기본 점획표를 익혀 정자로 바르게 씁시다.]

※획수는 총 획수를 나타냄

▶ 다음은 준3급에 추가된 신출한자 200字입니다. 다음 한자를 정자로 쓰고 아래 한자어의 讀音을 쓰시오.

申 申 申

펼 신 田, 5획 申請(　　　　), 申告(　　　　)

若 若 若

같을 약 艸, 9획 若干(　　　　), 萬若(　　　　)

與 與 與

더불 여 臼, 14획 與否(　　　　), 參與(　　　　)

逆 逆 逆

거스를역 辵, 10획 逆境(　　　　), 逆說(　　　　)

研 研 研

갈 연 石, 11획 研究(　　　　), 研修(　　　　)

[☞ 글씨는 뒷표지 안쪽 기본 점획표를 익혀 정자로 바르게 씁시다.]　※획수는 총 획수를 나타냄

▶ 다음은 준3급에 추가된 신출한자 200字입니다. 다음 한자를 정자로 쓰고 아래 한자어의 讀音을 쓰시오.

煙	煙	煙						

연기 연 火, 13획 | 煙氣( ), 禁煙( )

營	營	營						

경영할영 火, 17획 | 經營( ), 營業( )

榮	榮	榮						

영화 영 木, 14획 | 榮達( ), 榮光( )

誤	誤	誤						

그릇될오 言, 14획 | 過誤( ), 誤報( )

謠	謠	謠						

노래 요 言, 17획 | 歌謠( ), 童謠( )

[☞ 글씨는 뒷표지 안쪽 기본 점획표를 익혀 정자로 바르게 씁시다.]

※획수는 총 획수를 나타냄

▶ 다음은 준3급에 추가된 신출한자 200字입니다. 다음 한자를 정자로 쓰고 아래 한자어의 讀音을 쓰시오.

容	容	容						

얼굴 용　宀, 10획 ┆ 包容(　　　　　　), 容量(　　　　　　)

遇	遇	遇						

만날 우　辶, 13획 ┆ 境遇(　　　　　　), 待遇(　　　　　　)

圓	圓	圓						

둥글 원　口, 13획 ┆ 圓滿(　　　　　　), 圓形(　　　　　　)

員	員	員						

인원 원　口, 10획 ┆ 減員(　　　　　　), 職員(　　　　　　)

危	危	危						

위태할위　㔾, 6획 ┆ 危急(　　　　　　), 安危(　　　　　　)

[☞ 글씨는 뒷표지 안쪽 기본 점획표를 익혀 정자로 바르게 씁시다.]　　※획수는 총 획수를 나타냄

▶ 다음은 준3급에 추가된 신출한자 200字입니다. 다음 한자를 정자로 쓰고 아래 한자어의 讀音을 쓰시오.

遺 遺 遺

남길 유 辵, 16획 | 遺産( ), 遺品( )

酉 酉 酉

닭 유 酉, 7획 | 酉年( ), 酉時( )

乳 乳 乳

젖 유 乙, 8획 | 乳兒( ), 牛乳( )

乙 乙 乙

새 을 乙, 1획 | 乙種( ), 甲乙( )

陰 陰 陰

그늘 음 阜, 11획 | 陰陽( ), 陰地( )

[☞ 글씨는 뒷표지 안쪽 기본 점획표를 익혀 정자로 바르게 씁시다.] ※획수는 총 획수를 나타냄

▶ 다음은 준3급에 추가된 신출한자 200字입니다. 다음 한자를 정자로 쓰고 아래 한자어의 讀音을 쓰시오.

應	應	應						

응할 응 心, 17획 | 應答( ), 應試( )

依	依	依						

의지할 의 人, 8획 | 依支( ), 依存( )

異	異	異						

다를 이 田, 11획 | 異論( ), 異變( )

貳	貳	貳						

두 이 貝, 12획 | 壹貳( ), 貳拾( )

益	益	益						

더할 익 皿, 10획 | 利益( ), 權益( )

[☞ 글씨는 뒷표지 안쪽 기본 점획표를 익혀 정자로 바르게 씁시다.]

※획수는 총 획수를 나타냄

▶ 다음은 준3급에 추가된 신출한자 200字입니다. 다음 한자를 정자로 쓰고 아래 한자어의 讀音을 쓰시오.

引	引	引						
끌 인 弓, 4획	引下( ), 引接( )							
印	印	印						
도장 인 卩, 6획	印章( ), 印朱( )							
寅	寅	寅						
범 인 宀, 11획	丙寅( ), 寅年( )							
認	認	認						
알 인 言, 14획	檢認( ), 認識( )							
壹	壹	壹						
한 일 士, 12획	壹貳( ), 壹意( )							

[☞ 글씨는 뒷표지 안쪽 기본 점획표를 익혀 정자로 바르게 씁시다.] ※획수는 총 획수를 나타냄

▶ 다음은 준3급에 추가된 신출한자 200字입니다. 다음 한자를 정자로 쓰고 아래 한자어의 讀音을 쓰시오.

壬	壬	壬						

천간,북방임 士, 4획 壬辰( ), 壬時( )

壯	壯	壯						

씩씩할장 士, 7획 雄壯( ), 壯烈( )

適	適	適						

맞을 적 辵, 15획 適格( ), 適切( )

專	專	專						

오로지전 寸, 11획 專念( ), 專門( )

絶	絶	絶						

끊을 절 糸, 12획 根絶( ), 斷絶( )

[☞ 글씨는 뒷표지 안쪽 기본 점획표를 익혀 정자로 바르게 씁시다.] ※획수는 총 획수를 나타냄

▶ 다음은 준3급에 추가된 신출한자 200字입니다. 다음 한자를 정자로 쓰고 아래 한자어의 讀音을 쓰시오.

點	點	點						

점 점 黑, 17획 觀點( ), 視點( )

接	接	接						

이을 접 手, 11획 間接( ), 接續( )

井	井	井						

우물 정 二, 4획 油井( ), 坐井觀天( )

丁	丁	丁						

장정 정 一, 2획 兵丁( ), 壯丁( )

除	除	除						

덜 제 阜, 10획 除去( ), 除隊( )

[☞ 글씨는 뒷표지 안쪽 기본 점획표를 익혀 정자로 바르게 씁시다.] ※획수는 총 획수를 나타냄

▶ 다음은 준3급에 추가된 신출한자 200字입니다. 다음 한자를 정자로 쓰고 아래 한자어의 讀音을 쓰시오.

制	制	制						

마를 제 刀, 8획 規制( ), 制度( )

製	製	製						

지을 제 衣, 14획 製作( ), 製品( )

兆	兆	兆						

조 조 儿, 6획 吉兆( ), 凶兆( )

造	造	造						

지을 조 辵, 11획 造景( ), 製造( )

尊	尊	尊						

높을 존 寸, 12획 尊敬( ), 尊重( )

[☞ 글씨는 뒷표지 안쪽 기본 점획표를 익혀 정자로 바르게 씁시다.] ※획수는 총 획수를 나타냄

▶ 다음은 준3급에 추가된 신출한자 200字입니다. 다음 한자를 정자로 쓰고 아래 한자어의 讀音을 쓰시오.

宗	宗	宗						

마루 종 宀, 8획 | 宗敎( ), 宗孫( )

走	走	走						

달릴 주 走, 7획 | 競走( ), 繼走( )

朱	朱	朱						

붉을 주 木, 6획 | 朱丹( ), 朱黃( )

衆	衆	衆						

무리 중 血, 12획 | 觀衆( ), 群衆( )

持	持	持						

가질 지 手, 9획 | 持論( ), 持病( )

[☞ 글씨는 뒷표지 안쪽 기본 점획표를 익혀 정자로 바르게 씁시다.] ※획수는 총 획수를 나타냄

▶ 다음은 준3급에 추가된 신출한자 200字입니다. 다음 한자를 정자로 쓰고 아래 한자어의 讀音을 쓰시오.

指	指	指						

손가락지 手, 9획 | 指示( ), 指向( )

職	職	職						

벼슬 직 耳, 18획 | 在職( ), 職責( )

辰	辰	辰						

별 진 辰, 7획 | 星辰( ), 生辰( )

創	創	創						

비롯할창 刀, 12획 | 創造( ), 創業( )

册	册	册						

책 책 冂, 5획 | 册床( ), 册房( )

[☞ 글씨는 뒷표지 안쪽 기본 점획표를 익혀 정자로 바르게 씁시다.] ※획수는 총 획수를 나타냄

▶ 다음은 준3급에 추가된 신출한자 200字입니다. 다음 한자를 정자로 쓰고 아래 한자어의 讀音을 쓰시오.

聽	聽	聽						

들을 청 耳, 22획 敬聽( ), 聽衆( )

請	請	請						

청할 청 言, 15획 要請( ), 申請( )

丑	丑	丑						

소 축 一, 4획 甲子乙丑( ), 丑時( )

取	取	取						

가질 취 又, 8획 取得( ), 取消( )

治	治	治						

다스릴치 水, 8획 治安( ), 政治( )

[☞ 글씨는 뒷표지 안쪽 기본 점획표를 익혀 정자로 바르게 씁시다.] ※획수는 총 획수를 나타냄

▶ 다음은 준3급에 추가된 신출한자 200字입니다. 다음 한자를 정자로 쓰고 아래 한자어의 讀音을 쓰시오.

針	針	針						

바늘 침 金, 10획 指針( ), 長針( )

快	快	快						

쾌할 쾌 心, 7획 快擧( ), 輕快( )

脫	脫	脫						

벗을 탈 肉, 11획 脫落( ), 脫退( )

探	探	探						

찾을 탐 手, 11획 探究( ), 探査( )

討	討	討						

칠 토 言, 10획 討伐( ), 討論( )

[☞ 글씨는 뒷표지 안쪽 기본 점획표를 익혀 정자로 바르게 씁시다.] ※획수는 총 획수를 나타냄

▶ 다음은 준3급에 추가된 신출한자 200字입니다. 다음 한자를 정자로 쓰고 아래 한자어의 讀音을 쓰시오.

破	破	破						

깨뜨릴파 石, 10획 破片( ), 打破( )

判	判	判						

판단할판 刀, 7획 判別( ), 判定( )

片	片	片						

조각 편 片, 4획 片道( ), 斷片( )

布	布	布						

베,펼 포 巾, 5획 公布( ), 布告( )

暴	暴	暴						

사나울(폭)포 日, 15획 暴徒( ), 暴落( )

[☞ 글씨는 뒷표지 안쪽 기본 점획표를 익혀 정자로 바르게 씁시다.] ※획수는 총 획수를 나타냄

▶ 다음은 준3급에 추가된 신출한자 200字입니다. 다음 한자를 정자로 쓰고 아래 한자어의 讀音을 쓰시오.

包	包	包						
쌀 포 勹, 5획	內包( ), 包容力( )							

票	票	票						
표 표 示, 11획	得票( ), 開票( )							

亥	亥	亥						
돼지 해 亠, 6획	亥年( ), 癸亥( )							

解	解	解						
풀 해 角, 13획	解散( ), 解說( )							

鄕	鄕	鄕						
시골 향 邑, 13획	歸鄕( ), 故鄕( )							

[☞ 글씨는 뒷표지 안쪽 기본 점획표를 익혀 정자로 바르게 씁시다.] ※획수는 총 획수를 나타냄

▶ 다음은 준3급에 추가된 신출한자 200字입니다. 다음 한자를 정자로 쓰고 아래 한자어의 讀音을 쓰시오.

虛	虛	虛						

빌 허 虍, 12획 ⋮ 虛空( ), 虛弱( )

驗	驗	驗						

시험 험 馬, 23획 ⋮ 實驗( ), 試驗( )

賢	賢	賢						

어질 현 貝, 15획 ⋮ 聖賢( ), 賢人( )

呼	呼	呼						

부를 호 口, 8획 ⋮ 呼吸( ), 呼名( )

户	户	户						

지게문호 户, 4획 ⋮ 窓户( ), 門户( )

[☞ 글씨는 뒷표지 안쪽 기본 점획표를 익혀 정자로 바르게 씁시다.] ※획수는 총 획수를 나타냄

▶ 다음은 준3급에 추가된 신출한자 200字입니다. 다음 한자를 정자로 쓰고 아래 한자어의 讀音을 쓰시오.

貨	貨	貨						

재화 화　貝, 11획　通貨(　　　　　), 財貨(　　　　　)

候	候	候						

기후 후　人, 10획　氣候(　　　　　), 惡天候(　　　　　)

吸	吸	吸						

숨들이쉴흡　口, 7획　吸煙(　　　　　), 吸收(　　　　　)

興	興	興						

일어날흥　臼, 16획　復興(　　　　　), 興味(　　　　　)

希	希	希						

바랄 희　巾, 7획　希願(　　　　　), 希望(　　　　　)

[☞ 글씨는 뒷표지 안쪽 기본 점획표를 익혀 정자로 바르게 씁시다.]　※획수는 총 획수를 나타냄

◈ 준3급 선정한자 중 신출한자 200字입니다. 다음 한자의 훈음(뜻과 소리)을 쓰시오.(74~113쪽을 참고 하시오)

※한글을 정자로 바르게 쓰시오.

본보기	中	가운데 중

街		更	
假		巨	
佳		檢	
干		儉	
看		潔	
甲		警	
降		慶	
講		耕	
康		境	

◈ 준3급 선정한자 중 신출한자 200字입니다. 다음 한자의 훈음(뜻과 소리)을 쓰시오.(74~113쪽을 참고 하시오.)

※한글을 정자로 바르게 쓰시오.

본보기	中	가운데 중

經	
庚	
戒	
溪	
繼	
癸	
庫	
谷	
官	

究	
句	
群	
弓	
權	
歸	
均	
禁	
及	

◈ 준3급 선정한자 중 신출한자 200字입니다. 다음 한자의 훈음(뜻과 소리)을 쓰시오.(74~113쪽을 참고 하시오)

※한글을 정자로 바르게 쓰시오.

본보기	中	가운데 중

起		單	
暖		達	
難		隊	
納		徒	
乃		斗	
怒		豆	
努		得	
斷		燈	
丹		略	

◈ 준3급 선정한자 중 신출한자 200字입니다. 다음 한자의 훈음(뜻과 소리)을 쓰시오.(74~113쪽을 참고 하시오)

※한글을 정자로 바르게 쓰시오.

본보기	中	가운데 중

連		妙	
烈		卯	
列		戊	
錄		務	
論		尾	
倫		密	
莫		飯	
滿		防	
忘		房	

◈ 준3급 선정한자 중 신출한자 200字입니다. 다음 한자의 훈음(뜻과 소리)을 쓰시오.(74~113쪽을 참고 하시오.)

※한글을 정자로 바르게 쓰시오.

본보기	中	가운데 중

訪		伏	
背		否	
拜		佛	
罰		飛	
伐		悲	
丙		非	
寶		巳	
保		絲	
復		寺	

◈ 준3급 선정한자 중 신출한자 200字입니다. 다음 한자의 훈음(뜻과 소리)을 쓰시오.(74~113쪽을 참고 하시오)

※한글을 정자로 바르게 쓰시오.

본보기	中	가운데 중

舍		掃	
散		笑	
殺		素	
狀		續	
想		俗	
床		松	
舌		收	
細		愁	
稅		修	

◈ 준3급 선정한자 중 신출한자 200字입니다. 다음 한자의 훈음(뜻과 소리)을 쓰시오.(74~113쪽을 참고 하시오)

※한글을 정자로 바르게 쓰시오.

본보기	中	가운데 중

受		與	
純		逆	
戌		研	
拾		煙	
承		營	
息		榮	
辛		誤	
申		謠	
若		容	

◈ 준3급 선정한자 중 신출한자 200字입니다. 다음 한자의 훈음(뜻과 소리)을 쓰시오.(74~113쪽을 참고 하시오)

※한글을 정자로 바르게 쓰시오.

본보기	中	가운데 중

遇		應	
圓		依	
員		異	
危		貳	
遺		益	
酉		引	
乳		印	
乙		寅	
陰		認	

◈ 준3급 선정한자 중 신출한자 200字입니다. 다음 한자의 훈음(뜻과 소리)을 쓰시오.(74~113쪽을 참고 하시오)

※한글을 정자로 바르게 쓰시오.

본보기	中	가운데 중

壹		丁	
壬		除	
壯		制	
適		製	
專		兆	
絕		造	
點		尊	
接		宗	
井		走	

◈ 준3급 선정한자 중 신출한자 200字입니다. 다음 한자의 훈음(뜻과 소리)을 쓰시오.(74~113쪽을 참고 하시오)

※한글을 정자로 바르게 쓰시오.

본보기	中	가운데 중

朱		請	
衆		丑	
持		取	
指		治	
職		針	
辰		快	
創		脫	
冊		探	
聽		討	

◈ 준3급 선정한자 중 신출한자 200字입니다. 다음 한자의 훈음(뜻과 소리)을 쓰시오.(74~113쪽을 참고 하시오)

※한글을 정자로 바르게 쓰시오.

본보기	中	가운데 중

破		虛	
判		驗	
片		賢	
布		呼	
暴		户	
包		貨	
票		候	
亥		吸	
解		興	
鄕		希	

◈ 준3급 선정한자 중 신출한자 200字입니다. 다음 훈음(뜻과 소리)에 맞는 한자를 쓰시오.(7~73쪽을 참고 하시오)

※한자를 정자로 바르게 쓰시오.

본보기	가운데 중	中

거리 가		다시 갱	
거짓 가		클 거	
아름다울가		검사할 검	
방패 간		검소할 검	
볼 간		깨끗할 결	
껍질,갑옷갑		경계할 경	
내릴 강		경사 경	
익힐 강		밭갈 경	
편안할 강		지경 경	

◈ 준3급 선정한자 중 신출한자 200字입니다. 다음 훈음(뜻과 소리)에 맞는 한자를 쓰시오.(7~73쪽을 참고 하시오)

※한자를 정자로 바르게 쓰시오.

본보기	가운데 중	中

지날,글경	
천간,별경	
경계할 계	
시내 계	
이을 계	
천간,북방계	
곳집 고	
골 곡	
벼슬 관	

궁구할 구	
글귀 구	
무리 군	
활 궁	
권세 권	
돌아갈 귀	
고를 균	
금할 금	
미칠 급	

◈ 준3급 선정한자 중 신출한자 200字입니다. 다음 훈음(뜻과 소리)에 맞는 한자를 쓰시오.(7~73쪽을 참고 하시오)

※한자를 정자로 바르게 쓰시오.

본보기	가운데 중	中

일어날 기		홑 단	
따뜻할 난		통달할 달	
어려울 난		무리 대	
들일 납		무리 도	
이에 내		말 두	
성낼 노		콩 두	
힘쓸 노		얻을 득	
끊을 단		등잔 등	
붉을 단		간략할 략	

◈ 준3급 선정한자 중 신출한자 200字입니다. 다음 훈음(뜻과 소리)에 맞는 한자를 쓰시오.(7~73쪽을 참고 하시오)

※한자를 정자로 바르게 쓰시오.

본보기	가운데 중	中

이을 련		묘할 묘	
매울,뜨거울렬		토끼 묘	
벌일 렬		천간,별무	
기록할 록		힘쓸 무	
논할 론		꼬리 미	
인륜 륜		빽빽할 밀	
없을 막		밥 반	
찰 만		막을 방	
잊을 망		방 방	

◈ 준3급 선정한자 중 신출한자 200字입니다. 다음 훈음(뜻과 소리)에 맞는 한자를 쓰시오.(7~73쪽을 참고 하시오)

※한자를 정자로 바르게 쓰시오.

본보기	가운데 중	中

찾을 방		엎드릴 복	
등 배		아닐 부	
절 배		부처 불	
벌할 벌		날 비	
칠 벌		슬플 비	
남녘 병		아닐 비	
보배 보		뱀 사	
지킬 보		실 사	
돌아올 복		절 사	

◈ 준3급 선정한자 중 신출한자 200字입니다. 다음 훈음(뜻과 소리)에 맞는 한자를 쓰시오.(7~73쪽을 참고 하시오)

※한자를 정자로 바르게 쓰시오.

본보기	가운데 중	中

집 사	
흩어질 산	
죽일 살	
모양 상	
생각 상	
평상 상	
혀 설	
가늘 세	
세금 세	

쓸 소	
웃음 소	
흴,본디 소	
이을 속	
풍속 속	
소나무 송	
거둘 수	
근심 수	
닦을 수	

◈ 준3급 선정한자 중 신출한자 200字입니다. 다음 훈음(뜻과 소리)에 맞는 한자를 쓰시오.(7~73쪽을 참고 하시오)

※한자를 정자로 바르게 쓰시오.

본보기	가운데 중	中

받을 수		더불,줄여	
순수할 순		거스를 역	
개 술		갈 연	
주울 습		연기 연	
이을 승		경영할 영	
숨쉴 식		영화 영	
매울 신		그릇될 오	
펼 신		노래 요	
같을,만약 약		얼굴 용	

◈ 준3급 선정한자 중 신출한자 200字입니다. 다음 훈음(뜻과 소리)에 맞는 한자를 쓰시오.(7~73쪽을 참고 하시오)

※한자를 정자로 바르게 쓰시오.

본보기	가운데 중	中

만날 우		응할 응	
둥글 원		의지할 의	
인원 원		다를 이	
위태할 위		두 이	
남길 유		더할 익	
닭 유		끌 인	
젖 유		도장 인	
새 을		범 인	
그늘 음		알 인	

◈ 준3급 선정한자 중 신출한자 200字입니다. 다음 훈음(뜻과 소리)에 맞는 한자를 쓰시오.(7~73쪽을 참고 하시오)

※한자를 정자로 바르게 쓰시오.

본보기	가운데 중	中

한 일		장정 정	
천간,북방임		덜 제	
씩씩할 장		마를 제	
맞을 적		지을 제	
오로지 전		조 조	
끊을 절		지을 조	
점 점		높을 존	
이을 접		마루 종	
우물 정		달릴 주	

◈ 준3급 선정한자 중 신출한자 200字입니다. 다음 훈음(뜻과 소리)에 맞는 한자를 쓰시오.(7~73쪽을 참고 하시오)

※한자를 정자로 바르게 쓰시오.

본보기	가운데 중	中

붉을 주		청할 청	
무리 중		소 축	
가질 지		가질 취	
손가락 지		다스릴 치	
벼슬,직분직		바늘 침	
별 진		쾌할 쾌	
비롯할 창		벗을 탈	
책 책		찾을 탐	
들을 청		칠 토	

◈ 준3급 선정한자 중 신출한자 200字입니다. 다음 훈음(뜻과 소리)에 맞는 한자를 쓰시오.(5~25쪽을 참고 하시오)

※한자를 정자로 바르게 쓰시오.

본보기	가운데 중	中

깨뜨릴 파		빌 허	
판단할 판		시험 험	
조각 편		어질 현	
베,펼 포		부를 호	
사나울(폭)포		지게문 호	
쌀 포		재화 화	
표,쪽지표		기후 후	
돼지 해		숨들이쉴흡	
풀 해		일어날 흥	
시골,마을향		바랄 희	

한자어(漢字語)에 알맞은 독음(讀音)쓰기

◆다음 漢字語의 讀音을 쓰고 그 낱말의 뜻을 읽혀 봅시다.

본보기	火木	화목	땔나무

ㄱ

한자어	독음	뜻
假令		가정하여 말하면, 예를 들면
看過		대충 봄
可否		옳고 그름의 여부
甲骨文字		거북의 등과 짐승의 뼈에 새긴 중국의 고대 상형문자
可笑		우스움
甲男乙女		갑이란 남자와 을이란 여자의 뜻으로 평범한 사람들
歌謠		민요동요속요유행가 따위를 통틀어 이르는 말
甲富		첫째가는 부자
假定		실제와 상관없이 임시로 내세우는 것
降雨量		일정한 장소에 일정한 기간동안 내린 비의 양
佳景		아름다운 경치
講義		학문 등을 체계적으로 설명하여 가르치는 것
各界		사회의 각 분야
改票		차표나 입장권 따위를 입구에서 검사하는 일

開票		투표함을 열고 투표 결과를 점검하는 일
耕作		논밭을 갈아 농사를 지음
健康		몸에 아무 탈이 없이 튼튼함
慶祝		경사스런 일을 축하함
巨物		사회적으로 영향력이 큰 인물
季氏		상대방을 높여 그의 아우를 이르는 말
見解		어떤 것에 대한 자기의 의견
溪谷		물이 흐르는 골짜기
敬禮		공경의 뜻으로 고개를 숙이는 동작
計略		어떤 일을 이루기 위한 꾀나 수단
巨金		큰 돈, 많은 돈
繼續		뒤를 이어 나감
儉素		수수하고 사치하지 아니함
苦笑		쓴웃음
警告		조심하도록 미리 주의를 주는 것
固守		굳게 지키는 일
警察		공공의 안녕을 위해 국가권력으로 국민을 강제하는 사람
故意		일부러 하려는 뜻

空想	비현실적인 것을 상상하는 것
公益	사회 전체의 이익
公布	일반에게 널리 알리는 것
課稅	세금을 매겨 내도록 의무를 지우는 것
關與	관계하여 참여하는 것
校舍	학교의 건물
校庭	학교의 마당 또는 운동장
句句節節	모든 구절
九牛一毛	썩 많은 것 중의 극히 적은 부분
求職	일자리를 구하는 것
弓術	활쏘는 기술
群衆	한 곳에 떼를 지어 모인 많은 사람
權利	당연히 주장하고 요구할 수 있는 자격
權不十年	아무리 높은 권세라도 10년을 가지 못함
權限	권리등의 직권이 미치는 범위
歸納	개개의 구체적 사실에서 일반적 원리를 이끌어 내는 일
均等	차별없이 고름
禁煙	담배피는 것을 금하여 끊는 것

及第	시험에 합격함
記錄	적는 것
起伏	높았다 낮았다 하는 것
起床	잠자리에서 일어나는 것
起點	처음으로 시작되는 곳
氣候	날씨

ㄴ

暖房	방을 따뜻하게 하는 것
難處	이럴수도 저럴수도 없어 딱함
難兄難弟	두가지 것 사이의 우열이나 정도의 차이를 판단하기 어려움
男妹	오빠와 누이
納得	일의 내용을 잘 알아차림
來訪	만나러 찾아오는 것
內申	남이 모르게 비밀히 상신하거나 보고함
怒氣	노한 얼굴빛
努力	힘을 드리고 애를 쓰는 것
怒發大發	몹시 노하거나 성을 냄
老松	늙은 소나무

錄音	소리를 기록하여 넣는 것
論難	잘못을 따져 비난하는 것
論文	어떤 것에 대한 학술적 연구를 체계적으로 적은 글
論爭	사리를 따져서 말이나 글로 다투는 것
論調	논술하는 투

達成	뜻한 바를 이루는 것
斷絕	관계를 끊음
單位	어떤 조직을 구성하는 기본적 사물
談判	관계되는 쌍방이 서로 의견을 교환하여 판단하는 것
答狀	회답하는 편지
大同小異	큰 차이가 없이 거의 같고 조금만 다름

ㄷ

多多益善	많을 수록 더욱 좋음
多事多難	여러 가지로 일이 많고 이유도 많아 복잡함
丹靑	붉은 빛과 푸른 빛, 또는 채색하는 일
大豆	콩
隊列	대를 지어 늘어선 행렬
待遇	예의를 갖추어 대하는 것

徒步	걸어가는 것
同名異人	같은 이름의 다른 사람
豆乳	진하게 만든 콩국
得失	얻음과 잃음
燈下不明	등잔 밑이 어둡다
燈火可親	서늘한 가을밤은 등불을 가까이 하여 글 읽기에 좋음

ㅁ

莫上莫下	낫고 못하고를 가리기 어려울 만큼 차이가 거의 없음
莫逆之交	아주 허물없는 사귐
亡子計齒	이미 그릇된 일을 생각하고 애석히 여김
母乳	제 어머니의 젖
目不識丁	낫 놓고 기억자도 모름
牧場	소, 말, 양 따위를 놓아 먹이는 넓은 구역의 땅
妙味	미묘한 재미나 흥취
無爲徒食	아무 하는 일도 없이 먹고 놀기만 함
未備	아직 다 갖추지 않은 것
未定	아직 결정하지 못함
美風良俗	아름답고 좋은 풍속

密着	빈틈없이 단단히 붙음

ㅂ

半舌音	훈민정음에서 'ㄹ'소리의 일컬음. 반혓소리
訪問	남을 찾아 봄
防音	소리가 새어 나가는 것을 막는 것
防災	(화재, 수재 따위의)재해를 막음
防止	일어나지 못하게 막는 것
防風	바람을 막아내는 것
倍達民族	역사적으로 우리 겨레를 일컫는 말
背恩忘德	은덕을 저버리고 배반함
背信	신의를 저버리는 것
背任	임무를 배반함
百年佳約	남녀가 부부가 되어 한 평생을 같이 하겠다는 아름다운 언약
百害無益	해롭기만 하고 조금도 이로울 것이 없음
伐木	나무를 베는 것
兵家常事	전쟁에서 이기고지는 것은 흔히 있는 일
病床	병든 사람이 누워 있는 침상
丙寅	60갑자의 셋째

復古	옛 것으로 돌아가는 것
服務	복종하여 힘씀
復習	배운 것을 다시 익혀 공부함
否認	인정하지 않음
北斗七星	큰 곰 자리의 일곱개의 별
分斷	끊어서 동강을 냄
悲歌	슬프고 애절한 노래
悲觀	인생을 슬프게만 보는 것
飛行場	비행기가 뜨고 내릴 수 있는 설비를 갖춘 곳

非難	남의 결점을 책잡아 나쁘게 말하는 것
非理	도리에 어긋나는 일
非一非再	같은 종류의 현상이 한두번이 아니고 많음
非行	못된 행위
備忘錄	잊지 아니하려고 중요한 골자를 적어두는 책

ㅅ

舍宅	기업체 등에서 직원을 위해 지은 살림집
散步	한가하게 이리저리 거니는 것
山寺	산 속에 있는 절

殺伐	분위기나 풍경, 또는 인간관계 따위가 거칠고 서먹서먹함
序列	순서를 따라 늘어서는 것
殺身成仁	옳은 일을 위하여 목숨을 바침
選好	여럿 중에서 가려서 좋아하는 것
三伏	여름철의 몹시 더운 기간
舌戰	말다툼
商街	상점이 많이 늘어서 있는 거리
稅金	조세로 바치는 돈
想起	다시 생각하여 내는 것
歲拜	섣달 그믐이나 정초에 하는 인사
常綠樹	일년 내내 푸른 나무
細密	자세하고 치밀함
常識	보통 사람이 가져야 할 지식
素朴	꾸밈이나 거짓없이 수수함
賞狀	상을 주는 뜻을 적어주는 증서
消防	화재를 방지하고 불난 것을 끄는 일
生動	생기있게 살아 움직이는 것
素服	하얗게 차려 입은 옷

所持	가지고 있는 것
掃地	땅을 쓺
素質	본디부터 갖추고 있는 성질
小包	조그맣게 포장한 물건
俗談	옛적부터 내려오는 민간의 격언
俗謠	민간에 널리 떠도는 속된 노래
續行	계속하여 행하는 것
殺到	한꺼번에 세차게 몰려드는 것
收納	받아 거둠

修理	고장이나 허름한 데를 손보아 고침
守備	지켜 방비함
受賞	상을 받음
修養	몸과 마음을 단련하여 덕 등을 닦는 것
受容	받아들이는 것
收容	특정인들을 일정한 장소에 모아 넣는 것
收拾	어수선한 사태를 거두어 바로 잡음
純潔	마음에 더러움이 없이 깨끗한 것
純度	물건의 주성분인 순물질이 차지하는 비율

戌時	오후 7시부터 9시까지의 동안
承繼	뒤를 이어 받음
承認	정당성이나 사실을 인정함
拾得	주워서 얻음
市街	도시의 큰 길 거리
是非	옳고 그름. 잘잘못
視聽	보고 듣는 일
身言書判	인물을 고르는 표준으로 삼던 네가지 조건신수, 말씨, 문필, 판단력
信賞必罰	공이 있는 사람에게는 꼭 상을 주고 죄가 있는 사람에게는 반드시 벌을 줌
申請	알려 청구하는 것
實驗	실제로 시험하는 것
十常八九	거의 예외없이 그러함
氏族	공동의 조상을 가진 혈족 단체

ㅇ

我田引水	자기에게 이로운 대로만 함
暗殺	몰래 죽이는 것
略圖	간단하게 줄여 요점만 그린 그림
略歷	간단한 이력

兩極	북극과 남극	連結	서로 이어서 맺는 것
羊毛	양의 털	硏究	깊이 있게 조사하고 생각함
與信	금융기관에서 고객에게 돈을 빌려주는 일	煙氣	탈 때에 생기는 흐릿한 기체
與否	그러함과 그렇지 않음	連續	끊이지 않고 죽 잇거나 지속하는 것
與件	주어진 조건	連戰連勝	싸울 때마다 연달아 이김
旅愁	나그네의 시름. 여행지에서 느끼는 시름	烈女	절개가 곧은 여자
與民同樂	여러 백성과 더불어 같이 즐김	列擧	하나씩 들어 말함
逆境	순조롭지 않아 불행한 환경	熱烈	매우 맹렬함
逆行	거슬러 행하는 것	營農	농업을 경영함

營業所	영업을 하는 일정한 장소
圓形	둥근 형상
領收	받아들이는 것
危急	위태롭고 급박함
誤算	잘못 셈하는 것
乳母	어머니를 대신하여 젖을 먹이는 여자
誤解	뜻을 잘못 이해함
遺書	유언을 적은 글
完製品	제작공정을 완전히 마친 제품
倫理	사람으로서 마땅히 행하거나 지켜야 할 도리
往復	갔다가 돌아오는 것
律動	주기적으로 변환하여 움직임
要素	사물을 성립시키는 필요 불가결한 성분
陰散	흐리고 으스스함
要請	아주 필요하여 청하는 것
應答	어떤 것에 의하여 답하는 것
圓滿	모난데가 없이 둥글둥글하고 부드러움
應接室	손님을 접대하는 방

依存	의지하여 존재함
引上	끌어 올리는 일
義齒	만들어 박은 가짜 이
人生無常	인생이 덧없음을 이르는 말
異口同聲	여러 사람의 말이 한결같음
印朱	도장을 찍는데 쓰는 붉은 빛의 재료
利得	이익을 얻음
一擧兩得	한가지 일로 두가지 이익을 얻음
異色	다른 빛깔
一言半句	극히 짧은 말
二律背反	서로 대립되는 사실이 한 행동이나 사건속에서 합리적 근거를 가지고 주장되는 일
一點血肉	자기가 낳은 단 하나의 자녀
益者三友	사귀어 자기에게 유익함이 있는 세가지 부류의 벗(정직한 벗, 신의있는 벗, 지식있는 벗)
任務	맡은 사무나 업무
認可	인정하여 허락하는 것
一片丹心	한 조각의 붉은 마음, 참된 정성
因果應報	좋은 원인에는 좋은 결과가 생기고 나쁜 원인에는 나쁜 결과가 생기는 일

ㅈ

姊妹	여자끼리의 동기
子息	아들과 딸의 총칭
自業自得	자기가 저지른 일의 과보를 자기 자신이 받음
姊兄	손위 누이의 남편
壯觀	훌륭하고 장대한 경관
壯丁	나이가 젊고 기운이 좋은 남자
財貨	돈이나 값나가는 물건의 총칭
適當	정도에 알맞음
適者生存	생존경쟁의 결과 환경에 맞는 것만이 살아 남음
適材適所	알맞은 인재를 알맞은 자리에 씀
專念	오로지 한가지 일에 마음 쓰는 것
專門	오로지 한가지 일을 하는 것
傳承	전하여 받아 계승하는 것
絶景	뛰어나게 아름다운 경치
絶世佳人	세상에 비할 데 없이 아름다운 여자
點線	많은 점을 이어서 이루어진 선
點心	낮에 먹는 끼니

點火	불을 켜는 것
接續	맞대서 이음
點字	손가락으로 더듬어 읽도록 한 맹인용 글자
節制	알맞게 조절함
除去	없애 버리는 것
制服	정해진 규정에 따라 입게 된 옷
除外	어떤 범위 밖에 두는 것
制外	제도의 범위 밖
制限	정해진 한계
調達	자금 등을 대주는 것
造船所	선박을 건조, 개조, 수리 하는 곳
造形	형태를 이루어 만드는 것
尊敬	받들어 공경하는 것
主權在民	나라의 권력이 국민에게 있음
走馬看山	말을 타고 달리면서 산천을 구경한다는 뜻으로 사물의 겉만을 대강 보고 지남
晝耕夜讀	낮에는 밭갈고 밤에는 글을 읽는다는 뜻으로 어려운 여건 속에서도 꿋꿋이 공부함
朱黃	주홍빛과 누른빛 사이의 빛깔
衆口難防	뭇사람의 여러가지 의견을 하나하나 받아넘기기가 어려움

重言復言	이미 한 말을 자꾸 되풀이함
持論	늘 지니고 있거나 주장하는 이론
指示	가리켜 보이는 것
持參	가지고 참석하는 것
指針	지시 장치에 붙어 있는 바늘
進退兩難	이러기도 저러기도 어려워 입장이 곤란함

ㅊ

參與	참가하여 관계하는 것
創立	처음으로 설립하는 것
創意	처음으로 생각해 낸 것
冊房	서점
處罰	형벌에 처함
千辛萬苦	갖은 애를 쓰며 고생을 함
聽講	강의를 듣는 것
淸潔	지저분하지 않고 깨끗함
淸掃	더러운 것을 없애어 깨끗이 하는 것
聽取	방송등을 듣는 것
出納	금전, 물품따위를 내어주고 받아들임

出庫	물품을 창고에서 꺼내는 것
忠言逆耳	충직한 말은 귀에 거슬림
蟲齒	이가 벌레 먹은 듯 침식 되는 질환
忠孝	충성과 효도
取材	기사 등의 재료를 구하여 얻는 것
治安	편안하게 잘 다스리는 것
齒藥	이를 닦는데 쓰는 약
親密	지내는 사이가 아주 가깝고 친함
針葉樹	바늘 모양의 잎을 가진 상록의 교목

ㅋ

快擧	통쾌할 만큼의 장한 행위
快活	명랑하고 활발함

ㅌ

脫毛	털이 빠지는 것
脫線	궤도를 벗어나는 것
探究	더듬어 깊이 연구하는 것
探問	더듬어 찾아서 묻는 것
探訪	목적을 위해 장소나 인물을 찾는 것

探知	더듬어 살펴 알아내는 것
討論	각자의 의견을 내세워 그것의 정당함을 논하는 것
討伐	무력으로 쳐 없애는 것
退步	이제까지의 상태보다 뒤떨어짐

ㅍ

破産	재산을 모두 잃어버리는 것
判斷	기준 등에 따라 판정을 내리는 것
片道	가거나 오거나 할 때의 한쪽 길
平均	많고 적음이 없이 균일함
暴惡	사납고 악독한 것
包容	아량있고 너그럽게 감싸 받아들이는 것
暴利	부당한 이익
暴言	난폭하게 하는 말
暴飮	가리지 않고 마구 마시는 것
票決	투표로써 결정함
風前燈火	(바람 앞의 등불이라는 뜻으로) 매우 위급한 처지를 비유함

ㅎ

下請	청부맡은 일의 일부나 전부를 다시 다른 사람이 청부맡은 일

限度	한정된 정도
鄕約	조선시대 향촌의 자치 규약
降服	패배하여 굴복함
虛送	헛되이 보냄
行列	혈족의 방계에 대한 대수 관계를 표시하는 말
虛榮	자기 분수에 넘치는 영화나 겉치레
解答	질문이나 문제에 대한 답
虛風	과장하여 믿음성이 적은 언행
解明	풀어서 밝힘
賢明	어질고 영리하여 사리에 밝음
解放	압박하거나 가두어 두었던 것을 풀어놓은 것
形狀	물건의 생긴 모양
害蟲	인간 생활에 해를 끼치는 곤충
戶口	집 수나 식구 수
行動	몸을 움직여 무언가를 하는 것
呼名	이름을 부르는 것
鄕校	고려시대에서 조선시대 까지의 지방교육기관
好衣好食	잘 입고 잘 먹음

户主	한 집안의 주장이 되는 사람
呼兄呼弟	매우 가까운 친구 사이
呼吸	숨을 내쉬거나 들이쉬는 일
貨物	운반할 수 있는 물품의 총칭
患難相救	근심이나 재앙을 서로 구하여 줌
回想	지나간 일을 돌이켜 생각함
回復	전의 상태로 돌이키거나 되찾는 것
畫順	글자 획의 순서
效驗	일이나 작용의 좋은 보람
休講	강의를 쉬는 것
休息	잠깐 쉬는 것
吸血	피를 빨아들이는 것
興味	흥취를 느끼는 재미
興行	영화 등을 요금받고 구경시키는 일
希望	소망을 가지고 기대하여 바라는 것

낱말에 알맞은 한자(漢字)쓰기

◈ 다음 낱말의 뜻에 알맞은 한자를 쓰시오.

본보기	화목	火木	땔나무

ㄱ

낱말	한자	뜻
가령		가정하여 말하면, 예를 들면
가부		옳고 그름의 여부
가소		우스움
가요		민요·동요·속요·유행가 따위를 통틀어 이르는 말
가정		실제와 상관없이 임시로 내세우는 것
가경		아름다운 경치
각계		사회의 각 분야
간과		대충 봄
갑골문자		거북의 등과 짐승의 뼈에 새긴 중국의 고대 상형문자
갑남을녀		갑이란 남자와 을이란 여자의 뜻으로 평범한 사람들
갑부		첫째가는 부자
강우량		일정한 장소에 일정한 기간동안 내린 비의 양
강의		학문 등을 체계적으로 설명하여 가르치는 것
개표		차표나 입장권 따위를 입구에서 검사하는 일

개표	투표함을 열고 투표 결과를 점검하는 일
경작	논밭을 갈아 농사를 지음
건강	몸에 아무 탈이 없이 튼튼함
경축	경사스런 일을 축하함
거물	사회적으로 영향력이 큰 인물
계씨	상대방을 높여 그의 아우를 이르는 말
견해	어떤 것에 대한 자기의 의견
계곡	물이 흐르는 골짜기
경례	공경의 뜻으로 고개를 숙이는 동작
계략	어떤 일을 이루기 위한 꾀나 수단
거금	큰 돈, 많은 돈
계속	뒤를 이어 나감
검소	수수하고 사치하지 아니함
고소	쓴웃음
경고	조심하도록 미리 주의를 주는 것
고수	굳게 지키는 일
경찰	공공의 안녕을 위해 국가권력으로 국민을 강제하는 사람
고의	일부러 하려는 뜻

공상	비현실적인 것을 상상하는 것
공익	사회 전체의 이익
공포	일반에게 널리 알리는 것
과세	세금을 매겨 내도록 의무를 지우는 것
관여	관계하여 참여하는 것
교사	학교의 건물
교정	학교의 마당 또는 운동장
구구절절	모든 구절
구우일모	썩 많은 것 중의 극히 적은 부분

구직	일자리를 구하는 것
궁술	활쏘는 기술
군중	한 곳에 떼를 지어 모인 많은 사람
권리	당연히 주장하고 요구할 수 있는 자격
권불십년	아무리 높은 권세라도 10년을 가지 못함
권한	권리등의 직권이 미치는 범위
귀납	개개의 구체적 사실에서 일반적 원리를 이끌어 내는 일
균등	차별없이 고름
금연	담배피는 것을 금하여 끊는 것

급제	시험에 합격함
기록	적는 것
기복	높았다 낮았다 하는 것
기상	잠자리에서 일어나는 것
기점	처음으로 시작되는 곳
기후	날씨

ㄴ

난방	방을 따뜻하게 하는 것
난처	이럴수도 저럴수도 없어 딱함
난형난제	두가지 것 사이의 우열이나 정도의 차이를 판단하기 어려움
남매	오빠와 누이
납득	일의 내용을 잘 알아차림
내방	만나러 찾아오는 것
내신	남이 모르게 비밀히 상신하거나 보고함
노기	노한 얼굴빛
노력	힘을 드리고 애를 쓰는 것
노발대발	몹시 노하거나 성을 냄
노송	늙은 소나무

녹음	소리를 기록하여 넣는 것
논란	잘못을 따져 비난하는 것
논문	어떤 것에 대한 학술적 연구를 체계적으로 적은 글
논쟁	사리를 따져서 말이나 글로 다투는 것
논조	논술하는 투

ㄷ

다다익선	많을 수록 더욱 좋음
다사다난	여러 가지로 일이 많고 이유도 많아 복잡함
단청	붉은 빛과 푸른 빛, 또는 채색하는 일
달성	뜻한 바를 이루는 것
단절	관계를 끊음
단위	어떤 조직을 구성하는 기본적 사물
담판	관계되는 쌍방이 서로 의견을 교환하여 판단하는 것
답장	회답하는 편지
대동소이	큰 차이가 없이 거의 같고 조금만 다름
대두	콩
대열	대를 지어 늘어선 행렬
대우	예의를 갖추어 대하는 것

도보	걸어가는 것
동명이인	같은 이름의 다른 사람
두유	진하게 만든 콩국
득실	얻음과 잃음
등하불명	등잔 밑이 어둡다
등화가친	서늘한 가을밤은 등불을 가까이 하여 글 읽기에 좋음

ㅁ

막상막하	낫고 못하고를 가리기 어려울 만큼 차이가 거의 없음
막역지교	아주 허물없는 사귐
망자계치	이미 그릇된 일을 생각하고 애석히 여김
모유	제 어머니의 젖
목불식정	낫 놓고 기역자도 모름
목장	소, 말, 양 따위를 놓아 먹이는 넓은 구역의 땅
묘미	미묘한 재미나 흥취
무위도식	아무 하는 일도 없이 먹고 놀기만 함
미비	아직 다 갖추지 않은 것
미정	아직 결정하지 못함
미풍양속	아름답고 좋은 풍속

밀착	빈틈없이 단단히 붙음

ㅂ

반설음	훈민정음에서 'ㄹ'소리의 일컬음. 반혓소리
방문	남을 찾아 봄
방음	소리가 새어 나가는 것을 막는 것
방재	(화재, 수재 따위의)재해를 막음
방지	일어나지 못하게 막는 것
방풍	바람을 막아내는 것
배달민족	역사적으로 우리 겨레를 일컫는 말
배은망덕	은덕을 저버리고 배반함.
배신	신의를 저버리는 것
배임	임무를 배반함
백년가약	남녀가 부부가 되어 한 평생을 같이 하겠다는 아름다운 언약
백해무익	해롭기만 하고 조금도 이로울 것이 없음
벌목	나무를 베는 것
병가상사	전쟁에서 이기고지는 것은 흔히 있는 일
병상	병든 사람이 누워 있는 침상
병인	60갑자의 셋째

복고		옛 것으로 돌아가는 것
복무		복종하여 힘씀
복습		배운 것을 다시 익혀 공부함
부인		인정하지 않음
북두칠성		큰 곰 자리의 일곱개의 별
분단		끊어서 동강을 냄
비가		슬프고 애절한 노래
비관		인생을 슬프게만 보는 것
비행장		비행기가 뜨고 내릴 수 있는 설비를 갖춘 곳
비난		남의 결점을 책잡아 나쁘게 말하는 것
비리		도리에 어긋나는 일
비일비재		같은 종류의 현상이 한두번이 아니고 많음
비행		못된 행위
비망록		잊지 아니하려고 중요한 골자를 적어두는 책

ㅅ

사택		기업체 등에서 직원을 위해 지은 살림집
산보		한가하게 이리저리 거니는 것
산사		산 속에 있는 절

살벌	분위기나 풍경, 또는 인간관계 따위가 거칠고 서먹서먹함
살신성인	옳은 일을 위하여 목숨을 바침
삼복	여름철의 몹시 더운 기간
상가	상점이 많이 늘어서 있는 거리
상기	다시 생각하여 내는 것
상록수	일년 내내 푸른 나무
상식	보통 사람이 가져야 할 지식
상장	상을 주는 뜻을 적어주는 증서
생동	생기있게 살아 움직이는 것

서열	순서를 따라 늘어서는 것
선호	여럿 중에서 가려서 좋아하는 것
설전	말다툼
세금	조세로 바치는 돈
세배	섣달 그믐이나 정초에 하는 인사
세밀	자세하고 치밀함
소박	꾸밈이나 거짓없이 수수함
소방	화재를 방지하고 불난 것을 끄는 일
소복	하얗게 차려 입은 옷

소지	가지고 있는 것
소지	땅을 쓺
소질	본디부터 갖추고 있는 성질
소포	조그맣게 포장한 물건
속담	옛적부터 내려오는 민간의 격언
속요	민간에 널리 떠도는 속된 노래
속행	계속하여 행하는 것
쇄도	한꺼번에 세차게 몰려드는 것
수납	받아 거둠

수리	고장이나 허름한 데를 손보아 고침
수비	지켜 방비함
수상	상을 받음
수양	몸과 마음을 단련하여 덕 등을 닦는 것
수용	받아들이는 것
수용	특정인들을 일정한 장소에 모아 넣는 것
수습	어수선한 사태를 거두어 바로 잡음
순결	마음에 더러움이 없이 깨끗한 것
순도	물건의 주성분인 순물질이 차지하는 비율

술시	오후 7시부터 9시까지의 동안
승계	뒤를 이어 받음
승인	정당성이나 사실을 인정함
습득	주워서 얻음
시가	도시의 큰 길 거리
시비	옳고 그름. 잘잘못
시청	보고 듣는 일
신언서판	인물을 고르는 표준으로 삼던 네가지 조건신수, 말씨, 문필, 판단력
신상필벌	공이 있는 사람에게는 꼭 상을 주고 죄가 있는 사람에게는 반드시 벌을 줌
신청	알려 청구하는 것
실험	실제로 시험하는 것
십상팔구	거의 예외없이 그러함
씨족	공동의 조상을 가진 혈족 단체

ㅇ

아전인수	자기에게 이로운 대로만 함
암살	몰래 죽이는 것
약도	간단하게 줄여 요점만 그린 그림
약력	간단한 이력

양극	북극과 남극
양모	양의 털
여신	금융기관에서 고객에게 돈을 빌려주는 일
여부	그러함과 그렇지 않음
여건	주어진 조건
여수	나그네의 시름. 여행지에서 느끼는 시름
여민동락	여러 백성과 더불어 같이 즐김
역경	순조롭지 않아 불행한 환경
역행	거슬러 행하는 것
연결	서로 이어서 맺는 것
연구	깊이 있게 조사하고 생각함
연기	탈 때에 생기는 흐릿한 기체
연속	끊이지 않고 죽 잇거나 지속하는 것
연전연승	싸울 때마다 연달아 이김
열녀	절개가 곧은 여자
열거	하나씩 들어 말함
열렬	매우 맹렬함
영농	농업을 경영함

영업소		영업을 하는 일정한 장소
원형		둥근 형상
영수		받아들이는 것
위급		위태롭고 급박함
오산		잘못 셈하는 것
유모		어머니를 대신하여 젖을 먹이는 여자
오해		뜻을 잘못 이해함
유서		유언을 적은 글
완제품		제작공정을 완전히 마친 제품
윤리		사람으로서 마땅히 행하거나 지켜야 할 도리
왕복		갔다가 돌아오는 것
율동		주기적으로 변환하여 움직임
요소		사물을 성립시키는 필요 불가결한 성분
음산		흐리고 으스스함
요청		아주 필요하여 청하는 것
응답		어떤 것에 의하여 답하는 것
원만		모난데가 없이 둥글둥글하고 부드러움
응접실		손님을 접대하는 방

의존	의지하여 존재함
의치	만들어 박은 가짜 이
이구동성	여러 사람의 말이 한결 같음
이득	이익을 얻음
이색	다른 빛깔
이율배반	서로 대립되는 사실이 한 행동이나 사건 속에서 합리적 근거를 가지고 주장되는 일
익자삼우	사귀어 자기에게 유익함이 있는 세가지 부류의 벗(정직한 벗, 신의있는 벗, 지식있는 벗)
인가	인정하여 허락하는 것
인과응보	좋은 원인에는 좋은 결과가 생기고 나쁜 원인에는 나쁜 결과가 생기는 일

인상	끌어 올리는 일
인생무상	인생이 덧없음을 이르는 말
인주	도장을 찍는데 쓰는 붉은 빛의 재료
일거양득	한가지 일로 두가지 이익을 얻음
일언반구	극히 짧은 말
일점혈육	자기가 낳은 단 하나의 자녀
임무	맡은 사무나 업무
일편단심	한 조각의 붉은 마음, 참된 정성

ㅈ

자매	여자끼리의 동기
자식	아들과 딸의 총칭
자업자득	자기가 저지른 일의 과보를 자기 자신이 받음
자형	손위 누이의 남편
장관	훌륭하고 장대한 경관
장정	나이가 젊고 기운이 좋은 남자
재화	돈이나 값나가는 물건의 총칭
적당	정도에 알맞음
적자생존	생존경쟁의 결과 환경에 맞는 것만이 살아 남음
적재적소	알맞은 인재를 알맞은 자리에 씀
전념	오로지 한가지 일에 마음 쓰는 것
전문	오로지 한가지 일을 하는 것
전승	전하여 받아 계승하는 것
절경	뛰어나게 아름다운 경치
절세가인	세상에 비할 데 없이 아름다운 여자
점선	많은 점을 이어서 이루어진 선
점심	낮에 먹는 끼니

점화	불을 켜는 것
접속	맞대서 이음
점자	손가락으로 더듬어 읽도록 한 맹인용 글자
절제	알맞게 조절함
제거	없애 버리는 것
제복	정해진 규정에 따라 입게 된 옷
제외	어떤 범위 밖에 두는 것
제외	제도의 범위 밖
제한	정해진 한계
조달	자금 등을 대주는 것
조선소	선박을 건조, 개조, 수리하는 곳
조형	형태를 이루어 만드는 것
존경	받들어 공경하는 것
주권재민	나라의 권력이 국민에게 있음
주마간산	말을 타고 달리면서 산천을 구경한다는 뜻으로 사물의 겉만을 대강 보고 지남
주경야독	낮에는 밭갈고 밤에는 글을 읽는다는 뜻으로 어려운 여건 속에서도 꿋꿋이 공부함
주황	주홍빛과 누른빛 사이의 빛깔
중구난방	뭇사람의 여러가지 의견을 하나하나 받아넘기기가 어려움

중언부언	이미 한 말을 자꾸 되풀이함
지론	늘 지니고 있거나 주장하는 이론
지시	가리켜 보이는 것
지참	가지고 참석하는 것
지침	지시 장치에 붙어 있는 바늘
진퇴양난	이러기도 저러기도 어려워 입장이 곤란함

ㅊ

참여	참가하여 관계하는 것
창립	처음으로 설립하는 것
창의	처음으로 생각해 낸 것
책방	서점
처벌	형벌에 처함
천신만고	갖은 애를 쓰며 고생을 함
청강	강의를 듣는 것
청결	지저분하지 않고 깨끗함
청소	더러운 것을 없애어 깨끗이 하는 것
청취	방송등을 듣는 것
출납	금전, 물품따위를 내어주고 받아들임

출고	물품을 창고에서 꺼내는 것
충언역이	충직한 말은 귀에 거슬림
충치	이가 벌레 먹은 듯 침식 되는 질환
충효	충성과 효도
취재	기사 등의 재료를 구하여 얻는 것
치안	편안하게 잘 다스리는 것
치약	이를 닦는데 쓰는 약
친밀	지내는 사이가 아주 가깝고 친함
침엽수	바늘 모양의 잎을 가진 상록의 교목

ㅋ

쾌거	통쾌할 만큼의 장한 행위
쾌활	명랑하고 활발함

ㅌ

탈모	털이 빠지는 것
탈선	궤도를 벗어나는 것
탐구	더듬어 깊이 연구하는 것
탐문	더듬어 찾아서 묻는 것
탐방	목적을 위해 장소나 인물을 찾는 것

탐지	더듬어 살펴 알아내는 것
토론	각자의 의견을 내세워 그것의 정당함을 논하는 것
토벌	무력으로 쳐 없애는 것
퇴보	이제까지의 상태보다 뒤떨어짐

ㅍ

파산	재산을 모두 잃어버리는 것
판단	기준 등에 따라 판정을 내리는 것
편도	가거나 오거나 할 때의 한쪽 길
평균	많고 적음이 없이 균일함
포악	사납고 악독한 것
포용	아량있고 너그럽게 감싸 받아들이는 것
폭리	부당한 이익
폭언	난폭하게 하는 말
폭음	가리지 않고 마구 마시는 것
표결	투표로써 결정함
풍전등화	(바람 앞의 등불이라는 뜻으로) 매우 위급한 처지를 비유함

ㅎ

하청	청부맡은 일의 일부나 전부를 다시 다른 사람이 청부맡은 일

한도	한정된 정도
항복	패배하여 굴복함
항렬	혈족의 방계에 대한 대수 관계를 표시하는 말
해답	질문이나 문제에 대한 답
해명	풀어서 밝힘
해방	압박하거나 가두어 두었던 것을 풀어놓은 것
해충	인간 생활에 해를 끼치는 곤충
행동	몸을 움직여 무언가를 하는 것
향교	고려시대에서 조선시대까지의 지방교육기관
향약	조선시대 향촌의 자치 규약
허송	헛되이 보냄
허영	자기 분수에 넘치는 영화나 겉치레
허풍	과장하여 믿음성이 적은 언행
현명	어질고 영리하여 사리에 밝음
형상	물건의 생긴 모양
호구	집 수나 식구 수
호명	이름을 부르는 것
호의호식	잘 입고 잘 먹음

호주	한 집안의 주장이 되는 사람
호형호제	매우 가까운 친구 사이
호흡	숨을 내쉬거나 들이쉬는 일
화물	운반할 수 있는 물품의 총칭
환난상구	근심이나 재앙을 서로 구하여 줌
회상	지나간 일을 돌이켜 생각함
회복	전의 상태로 돌이키거나 되찾는 것
획순	글자 획의 순서
효험	일이나 작용의 좋은 보람
휴강	강의를 쉬는 것
휴식	잠깐 쉬는 것
흡혈	피를 빨아들이는 것
흥미	흥취를 느끼는 재미
흥행	영화 등을 요금받고 구경시키는 일
희망	소망을 가지고 기대하여 바라는 것

반의자(反義字)

可↔否	同↔異	是↔非	集↔散
干↔滿	得↔失	視↔聽	出↔納
京↔鄕	方↔圓	安↔危	虛↔實
官↔民	賞↔罰	往↔復	好↔惡
及↔落	首,頭↔尾	與↔野	呼↔吸
起↔伏	收↔支	陰↔陽	興↔亡
暖↔冷,寒	授↔受	正↔誤	
斷↔續	順↔逆	眞↔假	

유의자(類義字)

歌=謠=曲	氣=候	純=潔	依=支
巨=大=太	努=務	試=驗	財=貨
健=康	斷=絶	申=告	接=連=續
檢=査	丹=朱=赤	硏=究	政=治
儉=約	保=守	熱=烈	除=去
警=戒	空=虛	溫=暖	造=製=作
境=界	誤=失	到=成=達	尊=重
溪=谷	過=去	末=尾	參=與
繼=續	群=隊=衆=徒	房=室	聽=聞
均=等	舍=宅=屋	死=殺	討=伐
禁=止	想=思	承=繼	休=息
記=錄	省=略	圓=團	希=望=願
起=立	素=朴	應=對=答	

준3급 (핵심정리)

이음동자(異音同字)

降 ①내릴강 : 降等(강등), 降板(강판)
②항복할항 : 降伏(항복), 降服(항복)

更 ①다시갱 : 更紙(갱지), 更生(갱생)
②고칠경 : 更新(경신), 變更(변경)

丹 ①붉을단 : 丹楓*(단풍), 丹青(단청)
②꽃이름란 : 牡*丹(모란) <활음조>

復 ①돌아올 복 : 復舊(복구), 復習(복습)
②다시부 : 復興(부흥), 復活(부활)

否 ①아닐부 : 可否(가부)
②막힐비 : 否塞*(비색)

寺 ①절사 : 寺刹*(사찰)
②관청시 : 司*僕*寺(사복시)

殺 ①죽일살 : 殺伐(살벌), 殺氣(살기)
②덜쇄 : 相殺(상쇄), 減殺(감쇄)

狀 ①모양상 : 實狀(실상), 形狀(형상)
②문서장 : 賞狀(상장), 令狀(영장)

拾 ①주울습 : 拾得(습득), 收拾(수습)
②열십(갖은자) : 參拾(삼십)

若 ①만약약 : 萬若(만약)
②반야야 : 般*若經(반야경)

辰 ①별진 : 星辰(성진), 辰時(진시)
②때신 : 生辰(생신)

布 ①펼포 : 公布(공포), 布石(포석)
②펼보 : 布施*(보시) <활음조>

暴 ①사나울(폭)포 : 暴惡(포악), 暴落(폭락)
②드러낼폭 : 暴露(폭로)

※楓(단풍나무풍-3급), 牡(암컷모-준1급), 塞(막을색-2급), 刹(절찰-2급), 司(맡을사-준2급), 僕(종복-준1급),
般(일반반-준2급), 施(베풀시-3급)

반의어(反義語)

可決(가결) ↔ 否決(부결)
加入(가입) ↔ 脫退(탈퇴)
高潔(고결) ↔ 低俗(저속)
空想(공상) ↔ 現實(현실)
空虛(공허) ↔ 充實(충실)
權利(권리) ↔ 義務(의무)
起工式(기공식) ↔ 完工式(완공식)
吉兆(길조) ↔ 凶兆(흉조)
樂觀(낙관) ↔ 悲觀(비관)
樂勝(낙승) ↔ 辛勝(신승)
落第(낙제) ↔ 及第(급제)
暖流(난류) ↔ 寒流(한류)
能動(능동) ↔ 受動(수동)
當番(당번) ↔ 非番(비번)
密集(밀집) ↔ 散在(산재)
發達(발달) ↔ 退步(퇴보)
報恩(보은) ↔ 背恩(배은)
否認(부인) ↔ 是認(시인)
先發隊(선발대) ↔ 後發隊(후발대)
送信(송신) ↔ 受信(수신)
受賞(수상) ↔ 授賞(수상)
順行(순행) ↔ 逆行(역행)
始務式(시무식) ↔ 終務式(종무식)
失意(실의) ↔ 得意(득의)
實在(실재) ↔ 假想(가상)
惡天候(악천후) ↔ 好天候(호천후)
陽極(양극) ↔ 陰極(음극)
陽地(양지) ↔ 陰地(음지)
與信(여신) ↔ 受信(수신)
逆境(역경) ↔ 順境(순경)
連敗(연패) ↔ 連勝(연승)
誤答(오답) ↔ 正答(정답)
陰氣(음기) ↔ 陽氣(양기)
義務(의무) ↔ 權利(권리)
依他(의타) ↔ 自立(자립)
異端(이단) ↔ 正統(정통)
理想(이상) ↔ 現實(현실)
引上(인상) ↔ 引下(인하)
入庫(입고) ↔ 出庫(출고)
長點(장점) ↔ 短點(단점)
絶對(절대) ↔ 相對(상대)
絶望(절망) ↔ 希望(희망)
點燈(점등) ↔ 消燈(소등)
正常(정상) ↔ 異常(이상)
終講(종강) ↔ 開講(개강)
支出(지출) ↔ 收入(수입)
直接(직접) ↔ 間接(간접)
集合(집합) ↔ 解散(해산)
着衣(착의) ↔ 脫衣(탈의)
天命(천명) ↔ 非命(비명)
清潔(청결) ↔ 不潔(불결)
忠臣(충신) ↔ 逆臣(역신)
他殺(타살) ↔ 自殺(자살)
寒冷(한랭) ↔ 溫暖(온난)
解氷(해빙) ↔ 結氷(결빙)
幸運(행운) ↔ 悲運(비운)
形式(형식) ↔ 內容(내용)
假令(가령) = 假使(가사)

준3급 (핵심정리)

유의어(類義語)

改作(개작) = 改造(개조)
巨商(거상) = 大商(대상)
巨人(거인) = 大人(대인)
儉約(검약) = 節約(절약)
結末(결말) = 結局(결국) = 結尾(결미)
決行(결행) = 斷行(단행)
景勝地(경승지) = 保勝地(보승지)
骨子(골자) = 要點(요점)
公服(공복) = 官服(관복)
過誤(과오) = 過失(과실)
觀點(관점) = 見地(견지) = 見解(견해)
敎徒(교도) = 信徒(신도)
敎員(교원) = 敎師(교사)
國境(국경) = 國界(국계)
局部(국부) = 局所(국소)
起工式(기공식) = 着工式(착공식)
起案(기안) = 起草(기초)
納得(납득) = 領得(영득)
內探(내탐) = 物色(물색)
路上(노상) = 街上(가상)
老松(노송) = 古松(고송)
論爭(논쟁) = 論戰(논전)
單獨(단독) = 單一(단일)
單番(단번) = 單放(단방)
丹心(단심) = 赤心(적심)
達筆(달필) = 能筆(능필)

答書(답서) = 答狀(답장)
大尾(대미) = 大團圓(대단원)
大衆(대중) = 群衆(군중)
同甲(동갑) = 甲長(갑장)
莫論(막론) = 勿論(물론)
萬康(만강) = 萬安(만안)
滿開(만개) = 滿發(만발)
末尾(말미) = 末端(말단)
望月(망월) = 滿月(만월)
名人(명인) = 達人(달인)
目錄(목록) = 目次(목차)
文庫(문고) = 書庫(서고)
兵營(병영) = 兵舍(병사) = 營舍(영사)
寶物(보물) = 寶財(보재) = 寶貨(보화)
佛家(불가) = 佛門(불문)
佛經(불경) = 佛典(불전) = 內典(내전)
佛法(불법) = 佛敎(불교)
備忘錄(비망록) = 不忘記(불망기)
貧農(빈농) = 細農(세농)
氷庫(빙고) = 氷室(빙실)
相殺(상쇄) = 相計(상계)
生男(생남) = 得男(득남)
序論(서론) = 序說(서설)
書店(서점) = 冊房(책방)
船員(선원) = 船人(선인)
說得(설득) = 說伏(설복)

준3급 (핵심정리)

素月(소월) = 白月(백월)
掃除(소제) = 淸掃(청소)
俗談(속담) = 俗說(속설) = 俗言(속언)
俗世(속세) = 世俗(세속) = 世上(세상)
受領(수령) = 領收(영수)
手續(수속) = 節次(절차)
術數(술수) = 術法(술법)
試合(시합) = 競起(경기)
實利(실리) = 實益(실익)
弱點(약점) = 短點(단점)
旅愁(여수) = 客愁(객수)
逆流(역류) = 逆水(역수)
力士(역사) = 壯士(장사)
烈女(열녀) = 烈婦(열부)
禮遇(예우) = 禮待(예대)
完治(완치) = 全治(전치)
完快(완쾌) = 全快(전쾌)
要請(요청) = 要求(요구)
有權者(유권자) = 選擧人(선거인)
遺物(유물) = 遺品(유품)
律法(율법) = 法戒(법계)
應待(응대) = 應接(응접)
利息(이식) = 利子(이자)
異體(이체) = 變體(변체)
日月(일월) = 光陰(광음)
入隊(입대) = 入營(입영)
自殺(자살) = 自決(자결) = 自害(자해)
自認(자인) = 是認(시인)

壯觀(장관) = 偉觀(위관)
壯談(장담) = 壯言(장언)
壯士(장사) = 將卒(장졸) = 將兵(장병)
戰略(전략) = 兵略(병략) = 軍略(군략)
店房(점방) = 商店(상점)
點心(점심) = 中飯(중반)
接境(접경) = 交界(교계) = 連境(연경)
制服(제복) = 正服(정복)
製本(제본) = 製冊(제책)
除夜(제야) = 除夕(제석) = 歲除(세제)
弟子(제자) = 門徒(문도)
調理(조리) = 調養(조양) = 調治(조치)
終乃(종내) = 終是(종시)
宗親(종친) = 宗室(종실)
中指(중지) = 長指(장지)
持論(지론) = 持說(지설)
參與(참여) = 參加(참가)
創案(창안) = 考案(고안)
平均(평균) = 連等(연등)
他姓(타성) = 異姓(이성)
他鄕(타향) = 他官(타관)
特製(특제) = 別製(별제)
平常時(평상시) = 平素(평소)
下略(하략) = 後略(후략)
解除(해제) = 解免(해면)
好調(호조) = 快調(쾌조)
希願(희원) = 希望(희망)

四字成語(故事成語) 익히기

家家户户 (가가호호)	집집마다.
甲男乙女 (갑남을녀)	갑이라는 남자와 을이라는 여자라는 뜻으로, 이름도 알려지지 않은 평범한 사람들을 지칭하는 말.
江湖煙波 (강호연파)	강이나 호수 위에 안개처럼 보얗게 이는 기운, 또는 수면의 잔잔한 물결. 자연의 풍경
見危授命 (견위수명)	나라가 위태로울 때 목숨을 아끼지 않고 나라를 위하여 힘을 다함.
救國干城 (구국간성)	나라를 위기에서 구하고 지키려는 믿음직한 군인이나 인물.
權門勢家 (권문세가)	권세가 있는 집안.
權不十年 (권불십년)	권세는 10년을 넘지 못한다는 뜻으로, 권세가 오래가지 못함을 이르는 말.
起死回生 (기사회생)	거의 죽게되었다가 다시 살아남. 죽을 고비를 넘기고 일어나 돌이켜 삶을 찾음.
難兄難弟 (난형난제)	누구를 형이라 하고 누구를 아우라 해야 할지 분간하기 어렵다는 뜻. 두 가지 것 사이의 우열이나 정도의 차이를 판단하기 어려움의 비유.(難爲兄難爲弟-난위형난위제)
多多益善 (다다익선)	많으면 많을수록 좋다는 뜻.
多事多難 (다사다난)	여러 가지 일이 많고 어려움도 많은 모양.
單刀直入 (단도직입)	홀몸으로 칼을 휘두르며 적진에 쳐들어감. 너절한 서두를 생략하고 요점이나 본론을 간단명료하게 말함.

大同小異 (대동소이)	거의 같고 조금 다름. 비슷함.
道不拾遺 (도불습유)	길에 떨어진 것을 줍지 않는다는 뜻으로, 나라가 잘 다스려져 백성의 풍속이 돈후(敦厚)함을 비유해 이르는 말.
同名異人 (동명이인)	같은 이름의 다른 사람.
得失相半 (득실상반)	이로움과 해로움이 서로 半半임(같음).
燈下不明 (등하불명)	등잔 밑이 어둡다는 뜻으로, 가까이 있는 것이 오히려 알아내기 어렵다는 말.
燈火可親 (등화가친)	가을밤은 등불을 가까이 하여 글을 읽기에 좋다는 말.
連戰連勝 (연전연승)	싸울 때마다 번번이 이김.
論功行賞 (논공행상)	공을 의논하여 각각 알맞은 상을 줌.
莫上莫下 (막상막하)	낫고 못하고를 가리기 어려울 만큼 차이가 거의 없음.
萬世不忘 (만세불망)	은덕을 영원히 잊지 아니함.
滿場一致 (만장일치)	그 자리에 있는 모든 사람의 의견이 완전히 일치하는 일.
名門巨族 (명문거족)	뼈대있는 가문과 크게 번창한 집안.
明若觀火 (명약관화)	불을 보는 것처럼 분명함. 곧 더 말할 나위 없이 명백함.

目不識丁 (목불식정)	낫 놓고 기역자도 모른다는 뜻.
無念無想 (무념무상)	일체의 상념을 떠남. 무상무념(無想無念).
務實力行 (무실역행)	참되고 실속 있도록 힘써 실행함.
無爲徒食 (무위도식)	아무 하는 일없이 한갓 먹고 놀기만 함.
無知莫知 (무지막지)	하는 짓이 매우 무지하고 상스러움.
文房四友 (문방사우)	서재에 갖추어야 할 네 벗인 종이(紙)·붓(筆)·먹(墨)·벼루(硯)의 네 가지를 아울러 이르는 말.(紙筆墨硯-지필묵연)
美風良俗 (미풍양속)	아름답고 좋은 풍속.
倍達民族 (배달민족)	역사적으로 우리 겨레를 일컫는 말. 배달 겨레.
背恩忘德 (배은망덕)	은덕을 잊고 배반(背叛)함.
白骨難忘 (백골난망)	남에게 받은 은혜에 깊이 감사하는 마음으로 잊을 수 없다는 말.
百年佳約 (백년가약)	남녀가 부부가 되어 한 평생을 같이 하겠다는 아름다운 언약(言約). (百年佳期-백년가기)
百害無益 (백해무익)	오직 해만 될 뿐 이로울 것이 없음.
北斗七星 (북두칠성)	큰곰자리에서 가장 뚜렷하게 보이는, 국자 모양으로 된 일곱 개의 별. 북두성.

不快指數 (불쾌지수)	날씨에 따라 사람이 느끼는 快·不快의 정도를 기온과 습도의 관계로 나타내는 수치.
非一非再 (비일비재)	한 두 번이 아님. 하나 둘이 아님.
貧者一燈 (빈자일등)	가난한 사람이 밝힌 등불 하나라는 뜻으로, 가난 속에서 보인 작은 성의가 부귀한 사람들의 많은 보시보다도 가치가 큼을 이르는 말.
死生決斷 (사생결단)	죽고 사는 것을 생각하지 않고 끝장을 내려고 대든다는 뜻.
四通五達 (사통오달)	사방으로 막힘 없이 통함.
四通八達 (사통팔달)	길이 여러 군데로 막힘 없이 통함. =사통오달(四通五達).
事必歸正 (사필귀정)	무슨 일이든지 결국은 올바른 이치대로 되고 맘.
山川依舊 (산천의구)	고향의 산천은 그대로 있음을 비유한 말.
常德固持 (상덕고지)	상덕(常德-평상의 덕. 떳떳한 덕)을 굳게 지킴.
是非曲直 (시비곡직)	옳고 그르고, 굽고 곧음. 도리에 맞는 것과 어긋나는 것.
信賞必罰 (신상필벌)	공이 있는 사람에게는 반드시 상을 주고, 죄가 있는 사람에게는 반드시 벌을 줌. 곧 상벌을 엄정히 하는 일.
身言書判 (신언서판)	인물을 선택하는 표준으로 삼던 네 가지 조건. 곧 신수와 말씨와 글씨와 판단력.
藥房甘草 (약방감초)	한약의 첩(貼) 약에 대부분 들어가는 감초처럼 무슨 일이나 참견하고 꼭 쓰임을 이르는 말.

陽春佳節 (양춘가절)	따뜻한 봄철.
養虎遺患 (양호유환)	호랑이를 길러서 후환을 남김. 제거해야 할 자를 살려 두었다가 후일 화를 입음의 비유.
魚頭肉尾 (어두육미)	생선은 머리, 짐승은 꼬리 부분이 맛이 좋다는 말.
言語道斷 (언어도단)	너무 어이없어서 말하려 해도 말할 수 없음.
與民同樂 (여민동락)	여러 백성과 더불어 같이 즐김.
牛耳讀經 (우이독경)	「쇠귀에 경 읽기」. 가르치고 일러주어도 알아듣지 못함을 비유하는 말. (牛耳誦經-우이송경)
乙丑甲子 (을축갑자)	(갑자을축이 바른 순서인데, 그것을 반대로 하였다는 뜻으로) '무슨 일이 제대로 되지 않아 뒤죽박죽으로 뒤바꿈'을 이르는 말.
陰德陽報 (음덕양보)	남 모르게 쌓은 덕은 후일 버젓하게 복을 받게 마련임.
陰陽五行 (음양오행)	음양과 오행을 아울러 이르는 말.
異口同聲 (이구동성)	입은 다르나 소리는 같다는 뜻으로, 여러 사람의 말이나 주장이 한결같음을 이르는 말.
以熱治熱 (이열치열)	(열을 열로써 다스린다는 뜻으로) '힘에는 힘으로, 또는 강한 것은 강한 것으로 상대함'을 이르는 말.
二律背反 (이율배반)	동등한 타당성을 가지고 주장되는 두 명제가 서로 모순·대립하여 양립하지 아니함을 말함.
利害得失 (이해득실)	이로움과 해로움 및 얻음과 잃음.

益者三友 (익자삼우)	사귀어서 자기에게 유익한 세 종류의 벗. 곧, 정직한 사람, 신의가 있는 사람, 견문이 많은 사람. (反 損者三友-손자삼우)
引繼引受 (인계인수)	넘겨주고 이어받음.
因果應報 (인과응보)	좋은 원인에는 좋은 결과가 나오고, 나쁜 원인에는 나쁜 결과가 나오는 것처럼 선악의 원인이 있음.
一擧兩得 (일거양득)	한 가지 일을 하여 두 가지 이익을 얻음.
一怒一老 (일노일로)	한 번 성을 내면 한 번 늙어진다.
一罰百戒 (일벌백계)	본보기로 중한 처벌을 하는 일.
一喜一悲 (일희일비)	한편 기쁘고 한편 슬픔. 기쁘고 슬픈 일이 번갈아 일어남을 이르는 말.
一笑一少 (일소일소)	한 번 웃으면 한 번 젊어짐.
一言半句 (일언반구)	극히 짧은 말.
一點血肉 (일점혈육)	자기가 낳은 단 하나의 자녀.
一寸光陰 (일촌광음)	매우 짧은 시간. 寸刻을 말함.
一片丹心 (일편단심)	한 조각의 붉은 마음이라는 뜻으로, '변치 않는 참된 마음'을 이르는 말.
自强不息 (자강불식)	스스로 최선을 다하여 힘쓰고 가다듬어 쉬지 아니함.

自信滿滿 (자신만만)	자기의 값어치나 능력을 믿음, 또는 그런 마음이 넘치도록 가득함.
自業自得 (자업자득)	자기가 저지른 일의 과보(果報)를 자기가 받음.
自他共認 (자타공인)	자기나 남이 다 같이 인정함.
適者生存 (적자생존)	생존 경쟁의 세계에서 외계의 상태나 변화에 적합하거나 잘 적응하는 것만이 살아 남고, 그렇지 못한 것은 멸망하는 일.(優勝劣敗)
適材適所 (적재적소)	어떤 일에 알맞은 재능을 가진 사람에게 알맞은 임무를 맡기는 일.
全人敎育 (전인교육)	지식에만 치우친 교육이 아닌, 성격 교육·정서 교육 등도 중시하는 교육.
絶對多數 (절대다수)	전체 중에서 차지하는 비율이 압도적으로 많은 수.
絶世佳人 (절세가인)	세상에 비할 데 없이 아름다운 여자.
朝不及夕 (조불급석)	형세가 매우 급박하여 아침에 저녁 일이 어떻게 될지 알지 못함.
種豆得豆 (종두득두)	콩 심은 데서 콩을 거둔다는 말로, 원인에는 그에 따른 결과가 온다는 뜻.
坐井觀天 (좌정관천)	우물 속에 앉아 하늘을 본다는 뜻으로, 견문이 썩 좁음을 이르는 말.
晝耕夜讀 (주경야독)	낮에는 일하고 밤에는 공부를 함. 바쁜 틈을 타서 어렵게 공부함.
主權在民 (주권재민)	나라의 권력이 국민에게 있음.

走馬看山 (주마간산)	말을 타고 달리면서 산천을 구경한다는 뜻으로, 천천히 살펴 볼 여가가 없이 바쁘게 대강 보고 지남을 이르는 말.
竹林七賢 (죽림칠현)	중국 晉(진)나라 초기에 노장(老莊)의 무위 사상을 숭상하며 죽림에 모여 청담(清談)으로 세월을 보낸 일곱 명의 선비. 곧, 山濤·王戎·劉伶·阮籍·阮咸· 康·向秀
衆口難防 (중구난방)	'뭇 사람의 여러가지 의견을 하나하나 받아넘기기 어려움'을 이르는 말
重言復言 (중언부언)	했던 말을 자꾸만 되풀이함.
進退兩難 (진퇴양난)	나아갈 수도 물러설 수도 없이 궁지에 빠짐.
千辛萬苦 (천신만고)	갖은 애를 쓰며 고생을 함.
天人共怒 (천인공노)	하늘이나 사람이 다함께 노한다는 뜻으로, 도저히 용납하지 못함.
天井不知 (천정부지)	(천장을 모른다는 뜻으로) 물건값 따위가 자꾸 오르기만 함을 이르는 말.
寸鐵殺人 (촌철살인)	한치의 칼로써 능히 사람을 죽인다는 데서 간결한 말과 글로 급소를 잡음을 표현하는 말.
忠言逆耳 (충언역이)	바른 말은 귀에 거슬린다는 뜻으로, 바르게 타이르는 말일수록 듣기 싫어함을 이르는 말.
卓上空論 (탁상공론)	현실성이 없는 허황된 이론.
破竹之勢 (파죽지세)	(대가 결 따라 쪼개질 때와 같은 형세라는 뜻으로) 감히 대적할 수 없을 정도로 막힘 없이 무찔러 나아가는 맹렬한 기세.
布衣寒士 (포의한사)	마포(麻布) 옷을 입고 춥게 살아감. 벼슬길에 오르지 못함을 뜻함.

風前燈火 (풍전등화)	바람 앞의 등불이란 뜻으로, 몹시 위급한 상태를 말함.
虛送歲月 (허송세월)	하는 일 없이 세월만 헛되게 보냄.(虛度歲月)
虛虛實實 (허허실실)	계략이나 수단을 써서 서로 상대방의 약점을 비난하여 싸움. 허실을 살펴서 상대방의 동정을 알아냄을 이르는 말.
呼兄呼弟 (호형호제)	형이라고 부르고 아우라고 부른다는 뜻으로 친형제처럼 가깝게 지내는 사이를 이르는 말.(曰兄曰弟)
患難相救 (환난상구)	근심이나 재앙을 서로 구하여 줌.

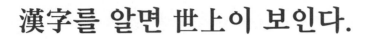

漢字를 알면 世上이 보인다.

대한민국한자급수자격검정시험 준3급

1회 심화학습문제

시험시간 : 40분

점수:

※ 다음 한자의 훈음이 바른 것을 고르시오.

1. 街 (　　　) ①가히가 ②거리가 ③노래가 ④집 가
2. 希 (　　　) ①쌀 포 ②점괘효 ③바랄희 ④기쁠 희
3. 容 (　　　) ①날쌜용 ②얼굴용 ③쓸 용 ④골 곡
4. 徒 (　　　) ①옮길사 ②달릴 주 ③갈 왕 ④무리 도
5. 健 (　　　) ①세울건 ②건강할건 ③사건건 ④붓 필
6. 旗 (　　　) ①그 기 ②일어날기 ③기 기 ④기약할기
7. 努 (　　　) ①힘쓸노 ②종 노 ③수고로울로 ④성낼노
8. 乳 (　　　) ①될위 ②받을 수 ③사랑애 ④젖 유
9. 佛 (　　　) ①부처불 ②아니 불 ③갈 왕 ④살 주
10. 討 (　　　) ①토할토 ②벨 주 ③말씀어 ④칠 토

※ 다음 훈음에 맞는 한자를 고르시오.

11. 아닐 부(　　　) ①下 ②富 ③否 ④部
12. 돌아갈 귀(　　　) ①貴 ②歸 ③婦 ④掃
13. 맏누이 자(　　　) ①姓 ②妹 ③姊 ④始
14. 시험 험(　　　) ①儉 ②檢 ③脫 ④驗
15. 달릴 주(　　　) ①朱 ②走 ③週 ④晝
16. 집 택(　　　) ①家 ②屋 ③室 ④宅
17. 묘할 묘(　　　) ①妙 ②要 ③安 ④便
18. 나아갈 진(　　　) ①眞 ②退 ③道 ④進
19. 부를 호(　　　) ①唱 ②呼 ③窓 ④創
20. 가질 취(　　　) ①取 ②探 ③考 ④觀

※ 다음 물음에 알맞은 답을 고르시오.

21. 다음 중 제자원리(六書)가 '회의'에 해당 되는 한자는? (　　　)

①請 ②淸 ③靑 ④聽

22. 다음 중 밑줄 친 한자의 독음이 다른 하나는? (　　　)

①往復 ②復舊 ③復興 ④復習

23. 다음 중 밑줄 친 한자의 독음이 다른 하나는? (　　　)

①星辰 ②辰時 ③生辰 ④辰巳

24. "寶"자를 자전(옥편)에서 찾을 때의 방법으로 바르지 않은 것은? (　　　)

①부수로 찾을 때는 "宀"부수 17획에서 찾는다.
②字音으로 찾을 때는 "보"음에서 찾는다.
③총획으로 찾을 때는 "20획"에서 찾는다.
④부수로 찾을 때는 "貝"부수 13획에서 찾는다.

25. 다음 중 "歌"자와 비슷한 뜻의 한자는? (　　　)

①滿 ②往 ③愛 ④謠

26. 다음 중 "好"자와 반대되는 뜻의 한자는? (　　　)

①惡 ②通 ③行 ④呼

27. 다음 □안에 공통으로 들어갈 한자는? (　　　)

讀	□
	院

①論 ②師 ③習 ④書

※ 다음 한자어의 독음이 바른 것을 고르시오.

28. 假面 (　　) ①휴면 ②하면 ③가면 ④가회

29. 考察 (　　) ①노찰 ②노제 ③고제 ④고찰

30. 醫術 (　　) ①의술 ②의원 ③주술 ④주원

31. 熱烈 (　　) ①열열 ②열렬 ③숙열 ④숙렬

32. 降等 (　　) ①항등 ②항복 ③강등 ④강사

33. 罰金 (　　) ①죄금 ②죄김 ③벌김 ④벌금

34. 拜上 (　　) ①배상 ②손상 ③간상 ④매상

35. 密度 (　　) ①밀척 ②밀도 ③비척 ④비도

※ 다음 한자어의 뜻으로 알맞은 것을 고르시오.

36. 往復 (　　)
①자주 돌아옴 ②갔다 돌아옴
③멀리 감 ④자주 돌아감

37. 誤算 (　　)
①잘못 계산함 ②잘못 삶
③잘못 낳음 ④잘못 줌

※ 다음 낱말을 한자로 바르게 쓴 것을 고르시오.

38. 탐방(일의 진상을 탐문하려고 찾아 봄) (　　)
①探查 ②探訪 ③訪問 ④放送

39. 참여(참가하여 관계함) (　　)
①參考 ②與否 ③參與 ④與論

※ 다음 밑줄 친 한자어의 독음으로 바른 것을 고르시오.

40. 학업을 위해 <u>他鄕</u>으로 유학을 갔다. (　　)
①야향 ②타향 ③타양 ④고향

41. 책을 읽을 때는 <u>精讀</u>이 필요하다. (　　)
①청독 ②정독 ③청서 ④정서

42. 소지품을 잘 <u>點檢</u>하고 떠나자. (　　)
①흑검 ②점검 ③흑험 ④점험

※ 다음 밑줄 친 낱말을 한자로 바르게 쓴 것을 고르시오.

43. 신년 해돋이 구경은 <u>장관</u>이었다. (　　)
①壯觀 ②長官 ③將官 ④場觀

44. 세금을 <u>수납</u> 창구에 냈다. (　　)
①收納 ②受納 ③授納 ④手納

※ 다음 물음에 알맞은 답을 고르시오.

45. 다음 중 한자어의 짜임이 <u>다른</u> 하나는? (　　)
①新興 ②誤用 ③在野 ④相應

46. 다음 중 "暖房"과 반대되는 뜻의 한자어는?
(　　)
①熱房 ②冰房 ③冷房 ④烈房

47. 다음 중 "美人"과 비슷한 뜻의 한자어는? (　　)
①家人 ②歌人 ③佳人 ④假人

48. "起死回生"의 속뜻으로 알맞은 것은? (　　)
①일어났다 죽음 ②죽음에서 다시 살아남
③살아났다 곧 죽음 ④일어나 살다가 도로 죽음

49. 선인들이 남긴 글을 대하는 태도로 바르지 <u>않은</u> 것은?
(　　)
①오늘날에 적용할 수 있는 방법을 생각한다.
②시대에 맞지 않으므로 읽고만 만다.
③글 속에 담긴 속뜻을 잘 헤아린다.
④선인들의 좋은 가르침을 실천한다.

50. 우리나라의 전래 명절이 <u>아닌</u> 것은? (　　)
①추석 ②단오 ③설날 ④성탄절

2회

대한민국한자급수자격검정시험 준3급

심화학습문제

시험시간 : 40분

점수:

※ 다음 한자의 훈음이 바른 것을 고르시오.

1. 乃 (　　　) ①미칠급 ②이에내 ③또　우 ④줄　급
2. 癸 (　　　) ①지경계 ②철　계 ③맬　계 ④천간계
3. 宗 (　　　) ①마루종 ②좇을종 ③마칠종 ④모일종
4. 貨 (　　　) ①될　화 ②화할화 ③빛날화 ④재화화
5. 感 (　　　) ①달　감 ②느낄감 ③볼　감 ④덜　감
6. 權 (　　　) ①권할권 ②책　권 ③권세권 ④주먹권
7. 壇 (　　　) ①제단단 ②붉을단 ③짧을단 ④둥글단
8. 寶 (　　　) ①걸음보 ②지킬보 ③갚을보 ④보배보
9. 圓 (　　　) ①둥글원 ②동산원 ③원할원 ④인원원
10. 韓 (　　　) ①한수한 ②찰　한 ③한정한 ④ 나라이름한

※ 다음 훈음에 맞는 한자를 고르시오.

11. 만날　우 (　　　) ①友 ②遇 ③運 ④達
12. 철　계 (　　　) ①界 ②繼 ③計 ④季
13. 찾을　탐 (　　　) ①掃 ②技 ③探 ④指
14. 무리　대 (　　　) ①對 ②待 ③代 ④隊
15. 말씀　화 (　　　) ①話 ②貨 ③花 ④語
16. 풀　해 (　　　) ①亥 ②解 ③害 ④海
17. 낮　주 (　　　) ①晝 ②書 ③畫 ④最
18. 의원　의 (　　　) ①依 ②義 ③意 ④醫
19. 고기잡을 어 (　　　) ①魚 ②漁 ③馬 ④洋
20. 권세　세 (　　　) ①稅 ②勢 ③權 ④歲

※ 다음 물음에 알맞은 답을 고르시오.

21. 다음 중 제자원리(六書)가 '형성'에 해당되는 한자는? (　　　)
①走　②明　③是　④時

22. 다음 중 밑줄 친 한자의 독음이 다른 하나는? (　　　)
①暴利　②暴動　③暴惡　④暴君

23. 다음 중 밑줄 친 한자의 독음이 다른 하나는? (　　　)
①拾得　②拾遺　③參拾　④收拾

24. "營"자를 자전(옥편)에서 찾을 때의 방법으로 바르지 않은 것은? (　　　)
①부수로 찾을 때는 "冖"부수 15획에서 찾는다.
②字音으로 찾을 때는 "영"음에서 찾는다.
③총획으로 찾을 때는 "17획"에서 찾는다.
④부수로 찾을 때는 "火"부수 13획에서 찾는다.

25. 다음 중 "存"자와 뜻이 비슷한 한자는? (　　　)
①滿　②材　③重　④在

26. 다음 중 "興"자와 반대되는 뜻의 한자는? (　　　)
①望　②亡　③朴　④將

27. 《政□, □安, 法□》에서 □안에 공통으로 들어갈 한자는? (　　　)
①治　②表　③社　④界

※ 다음 한자어의 독음이 바른 것을 고르시오.

28. 均等 (　　) ①평등 ②차등 ③균등 ④균형

29. 舌戰 (　　) ①활전 ②혈투 ③혈전 ④설전

30. 背景 (　　) ①배경 ②북경 ③배회 ④북방

31. 檢印 (　　) ①검도 ②검인 ③검사 ④검증

32. 精通 (　　) ①정용 ②청용 ③정통 ④청통

33. 理論 (　　) ①리논 ②리논 ③이논 ④이론

34. 連打 (　　) ①연타 ②련타 ③연정 ④련정

35. 純益 (　　) ①수익 ②순익 ③순리 ④수리

※ 다음 한자어의 뜻으로 알맞은 것을 고르시오.

36. 賢明 (　　)
①어리석으며 밝음 ②사리에 매우 밝음
③어리석으면서도 밝음 ④밝음에 어둠

37. 深夜 (　　)
①깊은 밤 ②짧은 밤
③지난 밤 ④잠든 밤

※ 다음 낱말을 한자로 바르게 쓴 것을 고르시오.

38. 휴식(잠깐 쉼) (　　)
①休職 ②休息 ③休日 ④休紙

39. 웅장(웅장하고 장함) (　　)
①英雄 ②雄大 ③雄壯 ④壯元

※ 다음 밑줄 친 한자어의 독음으로 바른 것을 고르시오.

40. 급식 食單표가 게시되어 있다. (　　)
①사단 ②식단 ③사과 ④식과

41. 국토 순례를 徒步로 종단했다. (　　)
①바보 ②도보 ③사보 ④도섭

42. 과일을 도매 市場에서 사왔다. (　　)
①건당 ②시장 ③건장 ④시당

※ 다음 밑줄 친 낱말을 한자로 바르게 쓴 것을 고르시오.

43. 모든 공약이 공포되었다. (　　)
①公約 ②空約 ③功約 ④公若

44. 비로소 그는 두각을 보이기 시작했다. (　　)
①頭角 ②豆角 ③斗角 ④頭各

※ 다음 물음에 알맞은 답을 고르시오.

45. 다음 중 한자어의 짜임이 다른 하나는? (　　)
①妙味 ②妙案 ③未達 ④美談

46. 다음 중 "可決"과 반대되는 뜻의 한자어는? (　　)
①否決 ②不結 ③不決 ④否結

47. 다음 중 "格式"과 비슷한 뜻의 한자어는? (　　)
①規正 ②規政 ③規定 ④規精

48. "一片丹心"의 속뜻으로 알맞은 것은? (　　)
①변변치 못한 마음 ②변치 않는 참된 마음
③한 맺힌 마음 ④매우 심심한 마음

49. 우리나라의 전통 인사예절로써 절하는 태도가 바르지 않은 것은? (　　)
①인사를 할 때 정성을 다해 정중하게 한다.
②손을 마주잡을 때 남자는 왼손을 위로 한다.
③손을 마주잡을 때 여자는 오른손을 위로 한다.
④초상 때도 ②, ③과 같이 공수법을 취한다.

50. 다음 중 단오날 행해지는 민속이 아닌 것은? (　　)
①그네뛰기 ②씨름 ③부럼깨기 ④부채선물

대한민국한자급수자격검정시험 준3급

3회 심화학습문제

시험시간 : 40분

점수:

※ 다음 한자의 훈음이 바른 것을 고르시오.

1. 寅 (　　) ①어질인 ②범 인 ③참을인 ④도장인
2. 志 (　　) ①종이지 ②이를지 ③뜻 지 ④알 지
3. 歷 (　　) ①지낼력 ②책력력 ③바꿀역 ④부릴역
4. 守 (　　) ①줄 수 ②받을수 ③빼어날수 ④지킬수
5. 巳 (　　) ①몸 기 ②뱀 사 ③이미이 ④눈 목
6. 災 (　　) ①오를등 ②재앙재 ③무거울중 ④등잔등
7. 討 (　　) ①칠 토 ②말씀어 ③말씀설 ④고를조
8. 暴 (　　) ①클 태 ②화할화 ③빛날화 ④사나울폭
9. 均 (　　) ①땅 지 ②고를균 ③거둘수 ④더할증
10. 印 (　　) ①끌 인 ②아이아 ③도장인 ④자리위

※ 다음 훈음에 맞는 한자를 고르시오.

11. 호수 호(　　) ①浩 ②湖 ③呼 ④好
12. 흐를 류(　　) ①由 ②流 ③有 ④乳
13. 순수할 순(　　) ①順 ②級 ③純 ④給
14. 바늘 침(　　) ①銀 ②依 ③鐵 ④針
15. 노래 요(　　) ①遠 ②謠 ③運 ④達
16. 새 을(　　) ①己 ②乙 ③巳 ④四
17. 부처 불(　　) ①否 ②不 ③佛 ④飛
18. 이을 접(　　) ①持 ②指 ③要 ④接
19. 혀 설(　　) ①古 ②舌 ③故 ④各
20. 힘쓸 노(　　) ①怒 ②努 ③念 ④男

※ 다음 물음에 알맞은 답을 고르시오.

21. 다음 중 제자원리(六書)가 '상형'이 아닌 한자는? (　　)
①干 ②甲 ③巨 ④街

22. 다음 중 밑줄 친 한자의 독음이 다른 하나는? (　　)
①降等 ②降板 ③降伏 ④降下

23. 다음 중 밑줄 친 한자의 독음이 다른 하나는? (　　)
①初更 ②變更 ③更紙 ④三更

24. "造"자를 자전(옥편)에서 찾을 때의 방법으로 바르지 않은 것은? (　　)
①부수로 찾을 때는 "辶"부수 7획에서 찾는다.
②字音으로 찾을 때는 "조"음에서 찾는다.
③총획으로 찾을 때는 "11획"에서 찾는다.
④부수로 찾을 때는 "辶"부수 8획에서 찾는다.

25. 다음 중 "財"자와 뜻이 비슷한 한자는? (　　)
①花 ②材 ③虛 ④貨

26. 다음 중 "同"자와 반대되는 뜻의 한자는? (　　)
①異 ②等 ③洞 ④一

27. 《 □作, □人, □節 》에서 □안에 공통으로 들어갈 한자는? (　　)
①美 ②多 ③季 ④佳

※ 다음 한자어의 독음이 바른 것을 고르시오.

28. 講讀 (　　　) ①강의 ②강매 ③강독 ④낭독
29. 伏兵 (　　　) ①견병 ②전병 ③복통 ④복병
30. 尊敬 (　　　) ①존경 ②전경 ③존중 ④전중
31. 連續 (　　　) ①연계 ②연속 ③계속 ④상속
32. 假定 (　　　) ①미정 ②확정 ③가정 ④결정
33. 敎養 (　　　) ①효양 ②교량 ③효량 ④교양
34. 殺蟲 (　　　) ①살충 ②설충 ③살풍 ④설풍
35. 視點 (　　　) ①시흑 ②시점 ③관흑 ④관점

※ 다음 한자어의 뜻으로 알맞은 것을 고르시오.

36. 雜種 (　　　)
①한가지 종류 ②잡다한 종류
③두가지 종류 ④세가지 종류

37. 非難 (　　　)
①책잡아 나쁘게 말함 ②어렵지 않음
③어렵고 그릇됨 ④잘못하기 어려움

※ 다음 낱말을 한자로 바르게 쓴 것을 고르시오.

38. 판단 : 사물에 대한 자기의 생각을 마음속으로 정함 (　　　)
①判讀 ②判斷 ③斷定 ④斷絶

39. 쇄도 : 한꺼번에 세차게 몰려듦 (　　　)
①速度 ②速決 ③殺到 ④相殺

※ 다음 밑줄 친 한자어의 독음으로 바른 것을 고르시오.

40. 새아침 <u>新鮮</u>한 바람이 불어왔다. (　　　)
①신양 ②신선 ③친선 ④친양

41. 선생님께 학생들의 <u>要請</u>이 간곡했다. (　　　)
①간구 ②요청 ③요정 ④간청

42. 漢字는 <u>造語力</u>이 뛰어난 문자이다. (　　　)
①고언력 ②조언력 ③고어력 ④조어력

※ 다음 밑줄 친 낱말을 한자로 바르게 쓴 것을 고르시오.

43. 문제집의 답안에 대한 <u>정오</u>표를 작성했다. (　　　)
①正誤 ②正午 ③政誤 ④政午

44. 백화점에서 <u>점원</u>들의 친절도를 평가했다. (　　　)
①店元 ②點圓 ③點院 ④店員

※ 다음 물음에 알맞은 답을 고르시오.

45. 다음 중 한자어의 짜임이 <u>다른</u> 하나는? (　　　)
①輕罰 ②經費 ③消燈 ④重罪

46. 다음 중 "加入"과 반대되는 뜻의 한자어는? (　　　)
①脫退 ②脫落 ③脫出 ④後退

47. 다음 중 "儉約"과 비슷한 뜻의 한자어는? (　　　)
①協約 ②約束 ③節約 ④結約

48. "牛耳讀經"의 속뜻으로 알맞은 것은? (　　　)
①말뜻을 잘 알아들음 ②말뜻을 알아듣지 못함
③소는 귀가 밝음 ④소는 귀가 밝지 않음

49. 다음 "禮"에 관한 설명 중 아홉가지생각(九思)으로 올바르지 <u>못한</u> 것은? (　　　)
①눈으로 볼 때에는 분명하게 볼 것을 생각함
②귀로 들을 때에는 총명하게 들을 것을 생각함
③얼굴 표정은 온화할 것을 생각함
④용모는 공손함보다 편할 때로 생각함

50. 우리나라의 전래 명절이 <u>아닌</u> 것은? (　　　)
①추석 ②정월대보름 ③설날 ④석가탄신일

대한민국한자급수자격검정시험 준3급

4회 심화학습문제

시험시간 : 40분

점수:

※ 다음 한자의 훈음이 바른 것을 고르시오.

1. 及 (　　　) ①이에내 ②미칠급 ③벗　우 ④줄　급
2. 依 (　　　) ①옷　의 ②믿을신 ③의지할의 ④법도의
3. 丑 (　　　) ①소　축 ②다섯오 ③서로호 ④지킬수
4. 製 (　　　) ①때　제 ②제목제 ③임금제 ④지을제
5. 斷 (　　　) ①이을계 ②끊을단 ③둥글단 ④시내계
6. 户 (　　　) ①좋을호 ②지게문호 ③부를호 ④호수호
7. 賢 (　　　) ①재화화 ②보배보 ③어질현 ④쓸　비
8. 佛 (　　　) ①부처불 ②갖출비 ③법식례 ④지킬보
9. 床 (　　　) ①자리석 ②차례서 ③가게점 ④평상상
10. 票 (　　　) ①겉　표 ②붓　필 ③표　표 ④가장 최

※ 다음 훈음에 맞는 한자를 고르시오.

11. 지탱할　지 (　　　) ①指　②支　③誌　④持
12. 줄　　　여 (　　　) ①旅　②與　③余　④如
13. 숯　　　탄 (　　　) ①災　②脫　③炭　④丹
14. 모양　　상 (　　　) ①壯　②章　③張　④狀
15. 거스를　역 (　　　) ①速　②逆　③送　④遠
16. 청할　　청 (　　　) ①清　②請　③計　④許
17. 남길　　유 (　　　) ①週　②遺　③進　④通
18. 다스릴　치 (　　　) ①河　②波　③治　④洋
19. 들을　　청 (　　　) ①德　②聞　③問　④聽
20. 고을　　군 (　　　) ①群　②郡　③君　④軍

※ 다음 물음에 알맞은 답을 고르시오.

21. 다음 중 제자원리(六書)가 '회의'에 해당되는 한자는? (　　　)
①更　②耕　③潔　④檢

22. 다음 중 밑줄 친 한자의 독음이 다른 하나는? (　　　)
①星宿　②宿所　③宿直　④宿便

23. 다음 중 밑줄 친 한자의 독음이 다른 하나는? (　　　)
①殺伐　②殺氣　③相殺　④殺人

24. "解"자를 자전(옥편)에서 찾을 때의 방법으로 바르지 않은 것은? (　　　)
①부수로 찾을 때는 "角"부수 6획에서 찾는다.
②字音으로 찾을 때는 "해"음에서 찾는다.
③총획으로 찾을 때는 "13획"에서 찾는다.
④부수로 찾을 때는 "牛"부수 9획에서 찾는다.

25. 다음 중 "舍"자와 뜻이 비슷한 한자는? (　　　)
①話　②合　③口　④宅

26. 다음 중 "退"자와 반대되는 뜻의 한자는? (　　　)
①進　②飛　③近　④歸

27. 《 容□, □具, 土□ 》에서 □안에 공통으로 들어갈 한자는? (　　　)
①家　②量　③石　④器

※ 다음 한자어의 독음이 바른 것을 고르시오.

28. 慶祝 (　　　) ①축하 ②축복 ③경축 ④경하

29. 略字 (　　　) ①각자 ②전자 ③낙자 ④약자

30. 健忘 (　　　) ①건망 ②건강 ③사망 ④사강

31. 美妙 (　　　) ①미소 ②미묘 ③미안 ④미정

32. 雨期 (　　　) ①우기 ②우사 ③우산 ④우의

33. 禮拜 (　　　) ①례배 ②예배 ③풍년 ④풍성

34. 收買 (　　　) ①수패 ②방매 ③수매 ④방패

35. 軍隊 (　　　) ①군부 ②차부 ③차대 ④군대

※ 다음 한자어의 뜻으로 알맞은 것을 고르시오.

36. 回復 (　　　)

①돌아가다 그침 ②이전으로 돌아감

③제자리에서 맴돎 ④처음으로 돎

37. 忠告 (　　　)

①잘못을 고치도록 타이름 ②나라에 충성함

③윗사람에게 보고함 ④충직한 생활

※ 다음 낱말의 뜻에 맞는 한자어를 고르시오.

38. "가지고 참석함" (　　　)

①參加 ②持參 ③所持 ④參與

39. "글로써 의사를 통함" (　　　)

①書筆 ②書典 ③筆談 ④談論

※ 다음 글을 읽고 밑줄 친 부분에 알맞은 독음이나 한자를 고르시오.

> 40)傳統 가족의 기반이었던 농촌이 점차로 해체되면서 일어난 가족 제도의 변화는 41)조선 초기의 가족으로 환원하고 있다. 이는 1991년에 改定된 42)相續法은 아들 · 딸 · 장남 · 차남 구별 없이 43)균등 相續을 규정하고 있고, 실제 아들·딸의 차별이 감소되고 장남의 중요성도 예전만 훨씬 못하는 44)社會적 추세를 근거로 하고 있다.

40. ①부통 ②부충 ③전충 ④전통 (　　　)

41. ①祖先 ②朝鮮 ③操船 ④造船 (　　　)

42. ①상독 ②상속 ③상계 ④상연 (　　　)

43. ①均一 ②均燈 ③均登 ④均等 (　　　)

44. ①사회 ②사증 ③토회 ④토증 (　　　)

※ 다음 물음에 알맞은 답을 고르시오.

45. 다음 중 한자어의 짜임이 다른 하나는? (　　　)

①佳作 ②詩句 ③辛勝 ④創團

46. 다음 중 "吉兆"와 반대되는 뜻의 한자어는? (　　　)

①凶兆 ②凶惡 ③數兆 ④七兆

47. 다음 중 "骨子"와 비슷한 뜻의 한자어는? (　　　)

①骨格 ②骨肉 ③要點 ④孫子

48. "背恩忘德"의 속뜻으로 알맞은 것은? (　　　)

①은덕을 배로 갚음 ②은덕을 잊고 배반함

③은혜를 다 갚지 않음 ④은혜를 조금 갚음

49. 다음은 언어에 관한 예절로써 바르지 못한 자세는? (　　　)

①감정은 편안하게 하고 표정은 온화하게 하며 말한다.

②말은 너무 크지 않고, 조용히 알아듣기 좋게 말한다.

③상대방의 말을 도중에 막거나 끼어 들지 않는다.

④대화 도중에 양해 없이 자리를 뜨고 나간다.

50. 육십갑자 중 12지지에 해당되지 않은 것은? (　　　)

①辰 ②巳 ③午 ④辛

5회

대한민국한자급수자격검정시험 준3급

심화학습문제

시험시간 : 40분

점수:

※ 다음 한자의 훈음이 바른 것을 고르시오.

1. 代 (　　　) ①대신할대 ②칠 벌 ③창 과 ④주살익
2. 看 (　　　) ①사이간 ②줄기간 ③볼 간 ④간할간
3. 警 (　　　) ①경계할경 ②놀랄경 ③서울경 ④지낼경
4. 功 (　　　) ①장인공 ②하늘 공 ③공변될공 ④공 공
5. 壹 (　　　) ①한 일 ②두 이 ③석 삼 ④열 십
6. 題 (　　　) ①법도제 ②차례제 ③제사제 ④제목제
7. 榮 (　　　) ①수고로울로 ②영화영 ③꽃부리영 ④경영할 영
8. 純 (　　　) ①순할순 ②맺을결 ③익힐련 ④순수할순
9. 判 (　　　) ①판단할판 ②이로울리 ③책 책 ④가르칠 훈
10. 丁 (　　　) ①아니불 ②재주재 ③장정정 ④열 십

※ 다음 훈음에 맞는 한자를 고르시오.

11. 차례 서 (　　　) ①席 ②序 ③次 ④書
12. 덜 제 (　　　) ①製 ②制 ③除 ④弟
13. 갑절 배 (　　　) ①拜 ②境 ③背 ④倍
14. 천간 임 (　　　) ①王 ②戊 ③林 ④壬
15. 쌀 포 (　　　) ①布 ②包 ③句 ④究
16. 이을 련 (　　　) ①連 ②速 ③逆 ④繼
17. 밥 반 (　　　) ①食 ②神 ③飯 ④住
18. 지킬 보 (　　　) ①備 ②代 ③存 ④保
19. 재화 화 (　　　) ①貨 ②話 ③花 ④畫
20. 기후 후 (　　　) ①後 ②候 ③修 ④氣

※ 다음 물음에 알맞은 답을 고르시오.

21. 다음 중 제자원리(六書)가 '형성'에 해당되는 한자는? (　　　)
①庚 ②戒 ③燈 ④庫

22. 다음 중 밑줄 친 한자의 독음이 다른 하나는? (　　　)
①實狀 ②形狀 ③球狀 ④賞狀

23. 다음 중 밑줄 친 한자의 독음이 다른 하나는? (　　　)
①貳拾 ②參拾 ③拾遺 ④九拾

24. "壹"자를 자전(옥편)에서 찾을 때의 방법으로 바르지 않은 것은? (　　　)
①부수로 찾을 때는 "豆"부수 5획에서 찾는다.
②字音으로 찾을 때는 "일"음에서 찾는다.
③총획으로 찾을 때는 "12획"에서 찾는다.
④부수로 찾을 때는 "士"부수 9획에서 찾는다.

25. 다음 중 "聽"자와 뜻이 비슷한 한자는? (　　　)
①聲 ②耳 ③取 ④聞

26. 다음 중 "受"자와 반대되는 뜻의 한자는? (　　　)
①授 ②收 ③守 ④修

27. 《 待□, 不□, 禮□ 》에서 □안에 공통으로 들어 갈 한자는? (　　　)
①期 ②遇 ③足 ④式

※ 다음 한자어의 독음이 바른 것을 고르시오.

28. 經歷 ( ) ①책력 ②역사 ③경력 ④경험
29. 戒律 ( ) ①개율 ②개필 ③계필 ④계율
30. 勇將 ( ) ①용장 ②용상 ③남장 ④남상
31. 納期 ( ) ①내기 ②납기 ③사기 ④남기
32. 頭書 ( ) ①두화 ②제서 ③두서 ④제화
33. 辛苦 ( ) ①행고 ②행곡 ③신곡 ④신고
34. 野營 ( ) ①야영 ②야근 ③야여 ④여영
35. 支部 ( ) ①지분 ②지부 ③기부 ④기분

※ 다음 한자어의 뜻으로 알맞은 것을 고르시오.

36. 守備 ( )
①가두어 둠 ②지켜 방비함
③가두어 못가게 함 ④지키지 아니함

37. 密着 ( )
①딱 달라붙음 ②비밀스럽게 만남
③밀어붙임 ④미리 붙임

※ 다음 낱말의 뜻에 맞는 한자어를 고르시오.

38. "난폭하게 말함" ( )
①暴露 ②暴言 ③談笑 ④座談

39. "간략하게 그린 그림" ( )
①美術 ②書畫 ③略圖 ④地圖

※ 다음 밑줄 친 한자어의 독음으로 바른 것을 고르시오.

40. 회의의 막바지 <u>衆論</u>이 일치되었다. ( )
①중담 ②혈론 ③혈담 ④중론

41. 그는 우리 학교의 대표적인 <u>學究</u>파이다. ( )
①학교 ②학구 ③학원 ④학군

42. 채소의 과잉생산으로 <u>價格</u>이 폭락하고 있다. ( )
①가각 ②가격 ③매각 ④매격

※ 다음 밑줄 친 낱말을 한자로 바르게 쓴 것을 고르시오.

43. 각 지방마다 <u>토속</u> 음식이 발달되어 있다. ( )
①討俗 ②土速 ③討東 ④土俗

44. 연설가의 <u>화술</u>은 참으로 뛰어났다. ( )
①話術 ②火術 ③花術 ④和術

※ 다음 물음에 알맞은 답을 고르시오.

45. 다음 중 한자어의 짜임이 <u>다른</u> 하나는? ( )
①復活 ②京鄉 ③獨走 ④烈士

46. 다음 중 "悲觀"과 반대되는 뜻의 한자어는? ( )
①樂觀 ②悲痛 ③觀光 ④觀察

47. 다음 중 "過誤"와 비슷한 뜻의 한자어는? ( )
①過去 ②誤認 ③過失 ④過食

48. "陰德陽報"의 속뜻으로 알맞은 것은? ( )
①작은 덕으로 큰 덕을 받음
②남 모르게 쌓은 덕으로 복을 받음
③큰 덕으로 작은 덕을 받음
④큰 덕을 받음

49. 다음 설명으로 바르지 <u>못한</u> 것은? ( )
①忠 – 국가에 대한 충성
②孝 – 부모님의 뜻을 받들고, 편안하게 해드림
③禮 – 사람이 지켜야 할 도리와 질서
④信 – 친구간에 서로 칭찬함

50. 육십갑자 중 12지지에 해당되지 <u>않은</u> 것은? ( )
①子 ②蟲 ③寅 ④卯

部首 214字와 部首訓音 一覽表

1획

一 한 일
丨 뚫을 곤
丶 별똥,점 주[점]
丿 삐침 별[삐침]
乙 새 을(乚)
[새을방]
亅 갈고리 궐

2획

二 두 이
亠 머리부분 두
[돼지해(亥)머리]
人 사람 인(亻)
[사람인변]
儿 ①어진사람인
②걷는사람인
入 들 입
八 여덟 팔
冂 멀 경
冖 덮을 멱{冪}
[민갓머리]
冫 얼음 빙{氷,冰}
[이수변]
几 안석, 책상궤
凵 입벌릴 감
[위튼입구몸]
刀 칼 도(刂)
[칼도방]
力 힘 력
勹 쌀 포{包}
匕 비수 비
匚 상자 방
[옆튼입구몸]
匸 감출 혜
[튼에운담]
十 열 십
卜 점 복
卩 병부 절(㔾)
厂 ①굴바위 엄
②언덕 한
[민엄호]
厶 사사 사
[마늘모]
又 또 우

3획

口 입 구
囗 에울 위
[큰입구몸]
土 흙 토
士 선비 사
夂 뒤져올 치
夊 천천히걸을쇠
夕 저녁 석
大 큰 대
女 여자 녀
子 아들 자
宀 집 면
[갓머리]
寸 마디 촌
小 작을 소
尢 절름발이 왕(尣,兀)
尸 주검 시{屍}
屮 싹날 철
[왼손좌(屮)]
山 메, 뫼 산
川 내 천{巛}
[개미허리]
工 장인 공
己 몸 기
巾 수건 건
干 방패 간
幺 작을 요
广 집 엄
[엄호]
廴 길게걸을 인
[민책받침]
廾 들,손맞잡을공
[스물입발]
弋 주살 익
弓 활 궁
彐 돼지머리 계(彑,ヨ)
[튼가로왈]
彡 터럭 삼
[삐친석삼]
彳 자축거릴 척
[두인변]

4획

心 마음 심(忄, ⺗)
[심방변, 마음심발]
戈 창 과
户 지게문 호
手 손 수(扌)
[손수변, 재방변]
支 지탱할 지
攴 칠 복(攵)
[등글월문]
文 글월 문
斗 말 두
斤 도끼,무게근
方 모 방
无 없을 무(旡)
[이미기(旣)방]
日 날,해 일
曰 가로 왈
月 달 월
木 나무 목
欠 하품 흠
止 그칠 지
歹 앙상한뼈 알(歺)
[죽을사(死)변]
殳 몽둥이 수
[갖은등글월문]
毋 말 무
比 견줄 비
毛 털 모
氏 성씨, 각씨 시
气 기운 기{氣}
水 물 수(氵, 氺)
[삼수변, 물수발]
火 불 화(灬)
[연화발]
爪 손톱 조(爫)
父 아비 부
爻 점괘 효
爿 조각 장
[장수장(將)변]
片 조각 편
牙 어금니 아
牛 소 우(牜)
犬 개 견(犭)
[개사슴록변]

5획

玄 검을 현
玉 구슬 옥(王)
瓜 오이 과
瓦 기와 와
甘 달 감
生 날 생
用 쓸 용
田 밭 전
疋 ①발 소
②필 필
疒 병들 녁
[병질엄]
癶 걸음 발
[필발(發)머리]
白 흰 백
皮 가죽 피
皿 그릇 명

部首 214字와 部首訓音 一覽表

目	눈	목(罒)
矛	창	모
矢	화살	시
石	돌	석
示	보일	시(礻)
内	짐승발자국	유
禾	벼	화
穴	구멍	혈(穴)
立	설	립

6획

竹	대	죽(⺮)
	[대죽머리]	
米	쌀	미
糸	실	사(絲)
缶	장군	부
网	그물망(罒,罓){網}	
羊	양	양(⺶)
羽	깃	우
老	늙을	로(耂)
	[늙을로엄]	
而	말이을	이
耒	쟁기,가래뢰	
耳	귀	이
聿	붓,오직	율
肉	고기	육(月)
	[육달월]	
臣	신하	신
自	스스로	자
至	이를	지
臼	절구	구(臼)
舌	혀	설
舛	어그러질	천
舟	배	주
艮	머무를,그칠간	
色	빛	색
艸	풀	초(⺿,艹)
	[초(草)두,풀초머리]	

虍	범	호{虎}
	[범호엄]	
虫	벌레	충{蟲},훼
血	피	혈
行	다닐	행
衣	옷	의(衤)
西	덮을	아(襾)

7획

見	볼	견
角	뿔	각
言	말씀	언
谷	골	곡
豆	콩,제기	두
豕	돼지	시
豸	①벌레	치
	②해태	태
	[갖은돼지시변]	
貝	조개	패
赤	붉을	적
走	달릴	주
足	발	족(⻊)
身	몸	신
車	수레	거(차)
辛	매울	신
辰	별	진
	날	신
辵	쉬엄쉬엄갈	착(辶)
	[책받침]	
邑	고을	읍(阝)
	[우부방]	
酉	닭,술병	유
釆	분별할	변
里	마을	리

8획

金	쇠	금
長	길,어른	장(镸)

門	문	문
阜	언덕	부(阝)
	[좌부변]	
隶	미칠	이
隹	새	추 우
雨	비	우
青	푸를	청
非	아닐	비

9획

面	얼굴	면
革	가죽	혁
韋	다룸가죽	위
韭	부추	구
音	소리	음
頁	머리	혈
風	바람	풍
飛	날	비
食	밥	식(食,飠)
首	머리	수
香	향기	향

10획

馬	말	마
骨	뼈	골
高	높을	고
髟	머리털늘어질 표	
	[터럭발(髮)머리]	
鬥	싸울	투{鬪}
鬯	술,활집	창
鬲	①오지병	격
	②솥	력
鬼	귀신	귀

11획

魚	물고기	어
鳥	새	조

鹵	소금밭	로
鹿	사슴	록
麥	보리	맥
麻	삼	마

12획

黃	누를	황
黍	기장	서
黑	검을	흑
黹	바느질할	치

13획

黽	①맹꽁이	맹<黾>
	②힘쓸	민
鼎	솥	정
鼓	북	고
鼠	쥐	서

14획

鼻	코	비
齊	가지런할	제

15획

齒	이	치

16획

龍	용	룡<竜>
龜	①거북	귀<亀>
	②나라이름구	
	③터질	균

17획

龠	피리	약

※ () 부수 변형자
※ [] 부수 명칭
※ { } 본자
※ < > 약자

대한민국한자급수자격검정시험 준3급

1회 실전대비문제

시험시간 : 40분

점수:

※ 한자의 훈음으로 바른 것을 고르시오.

1. 飯 (　　　) ①법 식　②밥 반　③돌이킬 반　④먹을 식

2. 絲 (　　　) ①실 사　②베낄 사　③사례할 사　④집 사

3. 破 (　　　) ①그럴 연　②깨뜨릴 파　③근심 수　④널빤지 판

4. 講 (　　　) ①편안할 강　②방 방　③오로지 전　④익힐 강

5. 燈 (　　　) ①등잔 등　②오를 등　③건강할 건　④무리 중

6. 床 (　　　) ①평상 상　②서로 상　③항상 상　④흩어질 산

7. 悲 (　　　) ①쓸 비　②아닐 비　③날 비　④슬플 비

8. 務 (　　　) ①천간 무　②없을 무　③굳셀 무　④힘쓸 무

9. 警 (　　　) ①경사 경　②경계할 경　③꽃부리 영　④영화 영

10. 妙 (　　　) ①수고로울 로　②사라질 소　③묘할 묘　④토끼 묘

※ 훈음에 맞는 한자를 고르시오.

11. 맞을 적 (　　　) ①適　②商　③的　④敵

12. 보배 보 (　　　) ①寅　②宿　③寶　④富

13. 무리 군 (　　　) ①都　②群　③君　④軍

14. 끊을 단 (　　　) ①丹　②單　③端　④斷

15. 말 두 (　　　) ①豆　②頭　③得　④斗

16. 무리 대 (　　　) ①隊　②代　③待　④對

17. 그늘 음 (　　　) ①倍　②陰　③暗　④飲

18. 우물 정 (　　　) ①井　②丁　③政　④庭

19. 높을 존 (　　　) ①察　②傳　③尊　④限

20. 거짓 가 (　　　) ①佳　②假　③加　④家

※ 물음에 알맞은 답을 고르시오.

21. 한자의 제자원리(六書)가 '회의자'가 아닌 것은? (　　　)

①先　②背　③伐　④間

22. "規則"에서 밑줄 친 '則'의 훈음으로 바른 것은?

( )

①곧 즉 ②법칙 즉 ③곧 칙 ④법칙 칙

23. 밑줄 친 '狀'의 독음이 다른 것은?

( )

①賞狀 ②情狀 ③形狀 ④實狀

24. 한자와 부수의 연결이 바르지 않은 것은?

( )

①省-目 ②患-心 ③巨-口 ④巳-己

25. '京'의 반의자는?

( )

①鄕 ②理 ③飛 ④逆

26. '財'의 유의자는?

( )

①才 ②貨 ③虛 ④花

27. '牛耳讀□'의 □안에 들어갈 알맞은 한자는?

( )

①耕 ②景 ③境 ④經

※ 어휘의 독음이 바른 것을 고르시오.

28. 辛苦 ( ) ①행고 ②행곡 ③신곡 ④신고

29. 强烈 ( ) ①궁렬 ②궁열 ③강렬 ④강열

30. 禁煙 ( ) ①금기 ②금혼 ③금지 ④금연

31. 吉兆 ( ) ①고도 ②길조 ③길억 ④고조

32. 密着 ( ) ①밀착 ②밀삼 ③비간 ④밀참

33. 歌謠 ( ) ①동요 ②통요 ③가요 ④가화

34. 壯觀 ( ) ①장권 ②상관 ③상권 ④장관

35. 受難 ( ) ①수조 ②구조 ③구난 ④수난

※ 어휘의 뜻으로 알맞은 것을 고르시오.

36. 誤算 ( )

①잘못 셈함. ②정밀하게 계산함.

③그릇되게 해석함. ④병을 그릇되게 진단함.

37. 呼價 ( )

①팔거나 사려는 물건의 값을 부름.

②값을 올림. ③값을 내림.

④값을 그대로 유지함.

※ 낱말을 한자로 바르게 쓴 것을 고르시오.

38. 검인: 서류나 물건을 검토한 표시로 도장을 찍는 일. 또는 그 도장. ( )

①檢印 ②儉印 ③檢認 ④儉認

39. 탐방: 어떤 사실이나 소식 따위를 알아내기 위하여 사람이나 장소를 찾아감. ( )

①探查 ②探訪 ③放送 ④訪問

※ 밑줄 친 어휘의 알맞은 독음을 고르시오.

40. 저녁 시간에 온 가족이 즐겁게 談笑을(를) 즐겼다. ( )

①담소 ②염소 ③담실 ④담화

41. 이 길로 繼續 가면 호수가 나온다. ( )

①개매 ②계속 ③개독 ④계독

42. 집중호우로 인한 피해가 莫大했다. ( )

①명대 ②묘대 ③모대 ④막대

※ 밑줄 친 부분을 한자로 바르게 쓴 것을 고르시오.

43. 그의 작품은 우리나라 사람의 생활과 사상과 감정을 담고 있다. ( )

①思想 ②事相 ③使相 ④史上

44. 부당 해고로 임직원 모두가 사표를 냈다. ( )

①任直員 ②壬職員 ③林職員 ④任職員

※ 물음에 알맞은 답을 고르시오.

45. 어휘의 짜임이 나머지 셋과 다른 것은? ( )

①氣候 ②停止 ③年歲 ④首尾

46. '創案'의 유의어는? ( )

①意案 ②創立 ③考案 ④試案

47. '可決'의 반의어는? ( )

①否決 ②不結 ③否結 ④不決

48. "與民同樂"의 속뜻으로 알맞은 것은? ( )

①백성들과 함께 즐김.

②백성들은 음악을 좋아함.

③백성들이 주는 한 가지 음악.

④백성들이 주는 하나같은 즐거움.

49. 讀書하는 자세로서 바르지 않은 것은? ( )

①바른 자세로 앉아 책을 읽는다.

②경건한 마음으로 책을 펼친다.

③精神을 集中하여 읽는다.

④주위를 意識하지 않고 큰소리로 열심히 읽는다.

50. 다음 중 정월대보름날 행해지는 민속이 아닌 것은? ( )

①달맞이 ②달집태우기 ③그네뛰기 ④쥐불놀이

대한민국한자급수자격검정시험 준3급

2회 실전대비문제

시험시간 : 40분

점수:

※ 한자의 훈음으로 바른 것을 고르시오.

1. 怒 (　　　) ①슬플 비　②생각 상　③성낼 노　④생각 념

2. 俗 (　　　) ①묶을 속　②굽을 곡　③갖출 비　④풍속 속

3. 宗 (　　　) ①마루 종　②높을 존　③마칠 종　④재주 술

4. 除 (　　　) ①지을 제　②제사 제　③남을 여　④덜 제

5. 硏 (　　　) ①방패 간　②평평할 평　③갈 연　④그럴 연

6. 看 (　　　) ①볼 간　②달 감　③볼 감　④상고할 고

7. 背 (　　　) ①기를 육　②등 배　③갑절 배　④능할 능

8. 貨 (　　　) ①재화 화　②귀할 귀　③살 매　④팔 매

9. 員 (　　　) ①집 원　②인원 원　③동산 원　④원할 원

10. 起 (　　　) ①재주 기　②달릴 주　③이를 도　④일어날 기

※ 훈음에 맞는 한자를 고르시오.

11. 거리 가 (　　　) ①佳　②價　③街　④假

12. 간략할 략 (　　　) ①若　②約　③略　④來

13. 이을 련 (　　　) ①運　②連　③選　④達

14. 노래 요 (　　　) ①遠　②曜　③要　④謠

15. 알 인 (　　　) ①壬　②引　③認　④因

16. 세금 세 (　　　) ①稅　②歲　③世　④洗

17. 내릴 강 (　　　) ①降　②景　③訪　④强

18. 손가락 지 (　　　) ①務　②拜　③持　④指

19. 엎드릴 복 (　　　) ①着　②福　③服　④伏

20. 닦을 수 (　　　) ①修　②愁　③授　④收

※ 물음에 알맞은 답을 고르시오.

21. 한자의 제자원리(六書)가 '상형자'가 아닌 것은? (　　　)

①鳥　②美　③角　④飛

22. 밑줄 친 '復'의 독음이 다른 것은? (　　　)

①往復　②復舊　③復活　④復習

23. "바람이 불자 落葉이 오소소 떨어진다"에서 밑줄 친 '葉'의 훈음으로 바른 것은? (　　　)

①꽃잎 접　②땅이름 섭　③잎 엽　④책 접

24. '更'을(를) 자전에서 찾을 때의 방법으로 바르지 않은 것은? (　　　)

①총획으로 찾을 때는 '7획'에서 찾는다.

②부수로 찾을 때는 '一'부수 6획에서 찾는다.

③부수로 찾을 때는 '日'부수 3획에서 찾는다.

④字音으로 찾을 때는 '갱'음에서 찾는다.

25. '民'의 반의자는? (　　　)

①商　②群　③農　④官

26. '溫'의 유의자는? (　　　)

①冷　②良　③善　④暖

27. "□度, □畫紙, □朱"의 □안에 들어갈 알맞은 한자는? (　　　)

①絕　②印　③節　④寅

※ 어휘의 독음이 바른 것을 고르시오.

28. 納期 (　　　) ①사기　②납기　③남기　④내기

29. 請求 (　　　) ①정구　②청구　③징구　④청수

30. 故鄕 (　　　) ①고향　②고랑　③고낭　④고량

31. 溪谷 (　　　) ①해속　②계곡　③계속　④해곡

32. 探究 (　　　) ①탐구　②탐사　③심연　④심사

33. 儉素 (　　　) ①검소　②감소　③검거　④검약

34. 講讀 (　　　) ①낭독　②강매　③강독　④강의

35. 慶州 (　　　) ①강주　②경천　③경주　④광주

※ 어휘의 뜻으로 알맞은 것을 고르시오.

36. 純潔 (　　　)

①겉과 속이 더러움.　②더럽고 깨끗하지 못함.

③속은 더럽고 겉만 깨끗함.　④더러움 없이 깨끗함.

37. 公益 (　　　)

①공공단체가 인정함.　②공예가의 작업실.

③서로 함께 번영함.　④사회 전체의 이익.

※ 낱말을 한자로 바르게 쓴 것을 고르시오.

38. 증산: 생산이 늚. 또는 생산을 늘림.

( )

①衆産 ②重産 ③中産 ④增産

39. 참여: 어떤 일에 끼어들어 관계함.

( )

①參戰 ②參與 ③參如 ④參加

※ 밑줄 친 어휘의 알맞은 독음을 고르시오.

40. 最近들어 환경 운동에 대한 관심이 늘어나고 있다.

( )

①쇠긴 ②최긴 ③쇠근 ④최근

41. 한자는 造語力이 뛰어난 문자이다.

( )

①조어력 ②조언력 ③고언력 ④고어력

42. 소지품을 잘 點檢하고 떠나자.

( )

①흑검 ②흑험 ③점험 ④점검

※ 밑줄 친 부분을 한자로 바르게 쓴 것을 고르시오.

43. 어제 감기 예방을 위한 접종 주사를 맞았다.

( )

①接續 ②變種 ③接受 ④接種

44. 현실을 정확하게 판단하는 냉철한 이성이 필요하다.

( )

①獨斷 ②判決 ③判斷 ④決斷

※ 물음에 알맞은 답을 고르시오.

45. 어휘의 짜임이 나머지 셋과 다른 것은?

( )

①陰陽 ②集散 ③暗黑 ④虛實

46. '目錄'의 유의어는?

( )

①目的 ②目次 ③目下 ④記錄

47. '順行'의 반의어는?

( )

①順理 ②逆行 ③苦行 ④反逆

48. "白骨難忘"의 속뜻으로 알맞은 것은?

( )

①은혜가 깊어 마음으로 잊을 수 없음.
②은혜는 뼈에 새기지 않으면 잊을 수 있음.
③원한이 뼈에 사무침.
④원수는 마음으로 잊을 수 없음.

49. 선인들이 남긴 글을 대하는 태도로 바르지 않은 것은? ( )

①선인들의 좋은 가르침을 실천한다.
②시대에 맞지 않으므로 읽고만 만다.
③오늘날에 적용할 수 있는 방법을 생각한다.
④글 속에 담긴 속뜻을 잘 헤아린다.

50. 漢字를 익히는 방법으로 바르지 못한 것은?

( )

①漢字의 다양한 訓과 音을 살펴본다.
②漢字의 部首와 총획을 익힌다.
③漢字의 기초를 無視하고 무작정 익힌다.
④漢字의 짜임을 통해 意味를 理解한다.

3회

대한민국한자급수자격검정시험 준3급

실전대비문제

시험시간 : 40분

점수:

※ 한자의 훈음으로 바른 것을 고르시오.

1. 燈 (　　　) ①천간 계　②필 발　③오를 등　④등잔 등

2. 想 (　　　) ①급할 급　②생각 상　③성낼 노　④숨쉴 식

3. 伐 (　　　) ①창 과　②주살 익　③대신할 대　④칠 벌

4. 爭 (　　　) ①이를 조　②홑 단　③펼 신　④다툴 쟁

5. 戶 (　　　) ①좋을 호　②이름 호　③부를 호　④지게문 호

6. 持 (　　　) ①인륜 륜　②손가락 지　③가질 지　④잡을 조

7. 討 (　　　) ①찾을 방　②칠 토　③끊을 절　④가르칠 훈

8. 收 (　　　) ①실 사　②칠 목　③거둘 수　④빠를 속

9. 接 (　　　) ①헤아릴 료　②이을 접　③줄 수　④칠 타

10. 乃 (　　　) ①활 궁　②조각 편　③이에 내　④새 을

※ 훈음에 맞는 한자를 고르시오.

11. 집 사 (　　　) ①室　②房　③舍　④家

12. 점 점 (　　　) ①店　②點　③黑　④當

13. 잊을 망 (　　　) ①亥　②望　③亡　④忘

14. 흩어질 산 (　　　) ①散　②政　③取　④敗

15. 오로지 전 (　　　) ①全　②專　③傳　④典

16. 베 포 (　　　) ①展　②鼻　③致　④布

17. 청할 청 (　　　) ①請　②最　③賣　④精

18. 시골 향 (　　　) ①鄕　②節　③眼　④貨

19. 논할 론 (　　　) ①破　②論　③悲　④愁

20. 둥글 단 (　　　) ①團　②丹　③短　④端

※ 물음에 알맞은 답을 고르시오.

21. 제자원리(六書)가 '회의'에 해당되는 한자는?

(　　　)

①角　②莫　③豆　④村

22. "비로 인해 출발 날짜가 내일로 變更되었다"에서 밑줄 친 '更'의 훈음으로 가장 알맞은 것은? (　　)

①고칠 갱　②다시 경　③다시 갱　④고칠 경

23. 밑줄 친 '殺'의 독음이 다른 것은? (　　)

①殺氣　②殺生　③相殺　④殺蟲

24. '番'을(를) 자전에서 찾을 때의 방법으로 바르지 않은 것은? (　　)

①부수로 찾을 때는 '釆'부수 5획에서 찾는다.

②총획으로 찾을 때는 '12획'에서 찾는다.

③字音으로 찾을 때는 '번'음에서 찾는다.

④부수로 찾을 때는 '田'부수 7획에서 찾는다.

25. '方'의 반의자는? (　　)

①元　②院　③正　④圓

26. '檢'의 유의자는? (　　)

①査　②儉　③試　④見

27. "□勢, □禮, □弱"에서 □안에 공통으로 들어갈 알맞은 한자는? (　　)

①限　②惠　③驗　④虛

※ 어휘의 독음이 바른 것을 고르시오.

28. 修養 (　　) ①수식　②조식　③수양　④조양

29. 掃地 (　　) ①추야　②추지　③소야　④소지

30. 戒律 (　　) ①계필　②계율　③개율　④개필

31. 絶後 (　　) ①절후　②색후　③절준　④색준

32. 密度 (　　) ①밀척　②비도　③비척　④밀도

33. 純益 (　　) ①수익　②순익　③순리　④수리

34. 宗主國 (　　) ①종주국　②국주국　③완주국　④강주국

35. 案內狀 (　　) ①안내상　②안내장　③종내상　④완내장

※ 어휘의 뜻으로 알맞은 것을 고르시오.

36. 看過 (　　)

①남의 일에 참견함.　②부주의에서 비롯된 잘못.

③큰 관심 없이 대강 보아 넘김.

④상태, 모양, 성질 따위가 그와 같다고 봄.

37. 保守 (　　)

①자연을 보호함.　②건강을 지켜나가는 일.

③보전하여 지킴.　④이웃을 돌봄.

※ 낱말을 한자로 바르게 쓴 것을 고르시오.

38. 용인: 너그럽게 받아들여 인정함. (　　)

①容納 ②容認 ③容量 ④認容

39. 의존: 다른 것에 의지하여 존재함. (　　)

①意存 ②依尊 ③意尊 ④依存

※ 밑줄 친 어휘의 알맞은 독음을 고르시오.

40. 영화 製作에 몰두했다.

(　　)

①열작 ②제작 ③열지 ④제조

41. 양측 모두 협의 내용에 滿足해했다.

(　　)

①만족 ②면족 ③문족 ④민족

42. 우리는 모두 同甲내기 친구들이다.

(　　)

①동창 ②통전 ③통갑 ④동갑

※ 밑줄 친 부분을 한자로 바르게 쓴 것을 고르시오.

43. 음식을 만드는 사람은 위생과 청결에 주의해야 한다.

(　　)

①青決 ②清潔 ③青結 ④清結

44. 연설가의 화술은 참으로 뛰어났다.

(　　)

①花術 ②話術 ③和術 ④火術

※ 물음에 알맞은 답을 고르시오.

45. 어휘의 짜임이 다른 것은?

(　　)

①溫暖 ②報告 ③參與 ④起伏

46. '順行'의 반의어는?

(　　)

①苦行 ②順序 ③逆行 ④反逆

47. '巨商'의 유의어는?

(　　)

①商人 ②中商 ③素商 ④大商

48. "陰德陽報"의 속뜻으로 알맞은 것은?

(　　)

①작은 덕으로 큰 덕을 받음.

②큰 덕으로 작은 덕을 받음.

③남 모르게 쌓은 덕으로 복을 받음.

④큰 덕을 받음.

49. 형제간에 가장 필요한 덕목은?

(　　)

①成功 ②友愛 ③友情 ④孝道

50. '十二支'에 해당되지 않는 것은?

(　　)

①午 ②丙 ③辰 ④巳

4회

대한민국한자급수자격검정시험 준3급

실 전 대 비 문 제

시험시간 : 40분

점수:

※ 한자의 훈음으로 바른 것을 고르시오.

1. 松 (　　　) ①오얏 리　②수풀 림　③소나무 송　④나무 수

2. 壬 (　　　) ①소 우　②벗 우　③천간 임　④방패 간

3. 妙 (　　　) ①맏누이 자　②좋을 호　③아랫누이 매　④묘할 묘

4. 純 (　　　) ①실 사　②이을 속　③거느릴 통　④순수할 순

5. 斗 (　　　) ①써 이　②말 두　③장정 정　④보일 시

6. 及 (　　　) ①성씨 씨　②집 택　③미칠 급　④끊을 절

7. 煙 (　　　) ①연기 연　②벗을 탈　③도울 협　④등잔 등

8. 錄 (　　　) ①들일 납　②알 인　③논할 론　④기록할 록

※ 훈음에 맞는 한자를 고르시오.

9. 벌할 벌 (　　　) ①罰　②規　③罪　④費

10. 위태할 위 (　　　) ①凶　②危　③災　④背

11. 칠 토 (　　　) ①伐　②打　③逆　④討

12. 금할 금 (　　　) ①禁　②祭　③解　④斷

13. 거짓 가 (　　　) ①謝　②價　③假　④保

14. 흩어질 산 (　　　) ①貯　②散　③波　④産

15. 조 조 (　　　) ①早　②萬　③億　④兆

※ 물음에 알맞은 답을 고르시오.

16. 한자의 제자 원리(六書) 중 '회의'에 해당하는 한자가 아닌 것은? (　　　)

①早　②宗　③高　④品

17. 밑줄 친 '降'의 독음이 다른 것은? ( )

①降等 ②降版 ③降服 ④降雨

18. "중요한 案件을 임원회에 올렸다"에서 밑줄 친 '案'의 훈음으로 가장 알맞은 것은? ( )

①높을 탁 ②책상 상 ③생각 안 ④생각 사

19. '鐵'을(를) 자전에서 찾을 때의 방법으로 바르지 않은 것은? ( )

①자음으로 찾을 때는 '철'음에서 찾는다.

②총획으로 찾을 때는 '21획'에서 찾는다.

③부수로 찾을 때는 '金'부수 13획에서 찾는다.

④부수로 찾을 때는 '戈'부수 17획에서 찾는다.

20. '歌'의 유의자는? ( )

①謠 ②創 ③細 ④號

21. '寒'의 반의자는? ( )

①滿 ②冷 ③暖 ④洋

22. "觀□, □復, □明"에서 □안에 공통으로 들어갈 알맞은 한자는? ( )

①望 ②回 ③清 ④光

※ 어휘의 독음이 바른 것을 고르시오.

23. 陰地 ( ) ①토지 ②음양 ③양지 ④음지

24. 平均 ( ) ①평등 ②균등 ③평균 ④평토

25. 豆乳 ( ) ①우유 ②분유 ③두유 ④두부

26. 過誤 ( ) ①착오 ②정오 ③과오 ④과찬

27. 密集 ( ) ①밀접 ②밀집 ③모집 ④소집

28. 權勢 ( ) ①권세 ②권위 ③출세 ④형세

29. 遺傳 ( ) ①유선 ②감전 ③고전 ④유전

30. 共助 ( ) ①공수 ②공조 ③보조 ④원조

31. 判定 ( ) ①판정 ②판결 ③결정 ④변정

※ 어휘의 뜻으로 알맞은 것을 고르시오.

32. 萬若 ( )

①오래도록 삶 ②뜻밖에 얻는 행운

③모든 것이 여러 가지로 다름

④혹시 있을지도 모르는 뜻밖의 경우

33. 取得 ( )

①혼자 많이 가짐 ②자기 것을 남에게 줌

③잃어버린 것을 되찾음 ④자기 것으로 만들어 가짐

34. 警戒( )

①지역이 구분되는 한계

②규칙을 어겨 벌칙을 줌

③옥에 갇힌 가벼운 죄를 지은 범인

④뜻밖의 사고가 생기지 않도록 조심하여 단속함

※ 낱말을 한자로 바르게 쓴 것을 고르시오.

35. 선경: 경치가 신비스럽고 그윽한 곳을 비유적으로 이르는 말. ( )
①仙境 ②善境 ③先境 ④仙經

36. 방임: 제멋대로 내버려 둠. ( )
①防干 ②放干 ③放任 ④防任

37. 수업: 교사가 학생에게 지식이나 기능을 가르쳐 줌. ( )
①授業 ②修業 ③手業 ④收業

※ 밑줄 친 어휘의 알맞은 독음을 고르시오.

38. 이산화 炭素는 지구 온난화를 가속화한다. ( )
①탄소 ②산소 ③질소 ④수소

39. 학생들이 선생님의 말씀을 敬聽하였다. ( )
①무시 ②경청 ③경시 ④중시

40. 세자가 왕위를 承繼하였다. ( )
①인계 ②계승 ③승계 ④승인

41. 회사의 무궁한 發展을 기원합니다. ( )
①성장 ②발전 ③성공 ④발달

※ 밑줄 친 부분을 한자로 바르게 쓴 것을 고르시오.

42. 많은 사람의 지지를 받았다. ( )
①指支 ②支持 ③持支 ④指持

43. 관직이 성균관 대사성에 이르렀다. ( )
①觀職 ②官直 ③關職 ④官職

44. 거리에 가로수들이 죽 늘어서 있다. ( )
①街路樹 ②加路樹 ③家路樹 ④加路修

※ 물음에 알맞은 답을 고르시오.

45. 어휘의 짜임이 다른 것은? ( )
①美談 ②漁船 ③蟲齒 ④考察

46. '試合'의 유의어는? ( )
①經營 ②競技 ③講習 ④戰爭

47. '能動'의 반의어는? ( )
①運動 ②受動 ③收動 ④運同

48. "忠言逆耳"의 속뜻으로 알맞은 것은?( )
①어떤 일에 정신을 집중함
②충신은 나라와 흥망을 같이 함
③아무리 일러 주어도 알아듣지 못함
④바르게 타이르는 말일수록 듣기 싫어함

49. 부모님께서 부르실 때 취할 행동으로 가장 바른 것은? ( )
①빨리 대답만 하고 가지 않는다.
②하던 일을 다 마치고 천천히 대답한다.
③빨리 대답하고 빨리 가서 말씀을 듣는다.
④대답하지 않고 천천히 가서 말씀을 듣는다.

50. 낮이 가장 길고 밤이 가장 짧은 절기는? ( )
①春分 ②夏至 ③秋分 ④冬至

대한민국한자급수자격검정시험 준3급

5회 실전대비문제

시험시간 : 40분

점수:

※ 한자의 훈음으로 바른 것을 고르시오.

1. 印 (　　　) ①도장 인　②토끼 묘　③조각 편　④높을 탁

2. 請 (　　　) ①청할 청　②노래 요　③정기 정　④허락할 허

3. 絶 (　　　) ①검소할 검　②시골 향　③끊을 절　④순수할 순

4. 若 (　　　) ①다를 타　②골 곡　③같을 약　④집 사

5. 危 (　　　) ①꼬리 미　②위태할 위　③쌀 포　④가게 점

6. 探 (　　　) ①재주 기　②줄 수　③잡을 조　④찾을 탐

7. 斷 (　　　) ①바를 단　②끊을 단　③제단 단　④짧을 단

8. 朱 (　　　) ①맛 미　②달릴 주　③묶을 속　④붉을 주

9. 造 (　　　) ①빠를 속　②통할 통　③지을 조　④맞을 적

10. 持 (　　　) ①지탱할 지　②가질 지　③손가락 지　④칠 타

※ 훈음에 맞는 한자를 고르시오.

11. 힘쓸 무 (　　　) ①務　②努　③怒　④無

12. 모양 상 (　　　) ①章　②壯　③將　④狀

13. 방 방 (　　　) ①房　②屋　③展　④局

14. 무리 대 (　　　) ①對　②待　③隊　④防

15. 펼 신 (　　　) ①甲　②斗　③申　④早

16. 깨끗할 결 (　　　) ①波　②浴　③湖　④潔

17. 마루 종 (　　　) ①宗　②種　③終　④衆

18. 고를 균 (　　　) ①場　②均　③根　④地

19. 바랄 희 (　　　) ①守　②希　③辛　④布

20. 우물 정 (　　　) ①定　②丹　③井　④臣

※ 물음에 알맞은 답을 고르시오.

21. 한자의 제자원리(六書)가 '상형'인 한자는?

(　　　)

①本　②末　③千　④甘

22. 밑줄 친 '洞'의 독음이 <u>다른</u> 것은? (　　)

①<u>洞</u>口　②空<u>洞</u>　③<u>洞</u>長　④<u>洞</u>達

23. '<u>快</u>擧'에서 밑줄 친 '快'의 훈음으로 가장 알맞은 것은? (　　)

①날카로울 쾌　②쾌할 쾌　③오로지 쾌　④빠를 쾌

24. '暴'을(를) 자전에서 찾을 때의 방법으로 바르지 <u>않은</u> 것은? (　　)

①字音으로 찾을 때는 '폭'음에서 찾는다.

②총획으로 찾을 때는 '15획'에서 찾는다.

③부수로 찾을 때는 '日'부수 11획에서 찾는다.

④부수로 찾을 때는 '水'부수 11획에서 찾는다.

25. '興'의 반의자는? (　　)

①復　②成　③餘　④亡

26. 유의자의 연결이 바르지 <u>않은</u> 것은? (　　)

①討=伐　②想=應　③溫=暖　④承=繼

27. "容□, □具, 土□"에서 □안에 공통으로 들어갈 알맞은 한자는? (　　)

①家　②量　③石　④器

※ 어휘의 독음이 바른 것을 고르시오.

28. 禁煙 (　　) ①흡연　②소등　③사표　④금연

29. 理論 (　　) ①리논　②이론　③이논　④리론

30. 素服 (　　) ①청보　②청복　③소보　④소복

31. 牧童 (　　) ①목동　②목리　③우동　④목입

32. 講究 (　　) ①강사　②연구　③강구　④강연

33. 禮拜 (　　) ①풍성　②례배　③예배　④풍년

34. 看破 (　　) ①간파　②간곡　③간판　④간과

35. 苦難 (　　) ①약수　②고난　③고집　④고란

※ 어휘의 뜻으로 알맞은 것을 고르시오.

36. 是認 (　　)

①그러하다고 인정함.　②시에 나타난 감정.

③시험 삼아 마셔봄.　④시력이 미치는 범위.

37. 群落 (　　)

①많은 부락.　②이십 전후의 한창 나이.

③충동적인 심리.　④한 나라의 경제력.

※ **낱말을 한자로 바르게 쓴 것을 고르시오.**

38. 만개: 꽃이 활짝 다 핌. (　　　)

①滿發 ②滿開 ③萬改 ④萬開

39. 오보: 그릇되게 보도하거나 그런 보도. (　　　)

①誤報 ②午報 ③誤保 ④情報

※ **밑줄 친 어휘의 알맞은 독음을 고르시오.**

40. 국토 순례를 徒步로 종단했다. (　　　)

①도보 ②주보 ③도로 ④주로

41. 모두가 假面놀이에 재미있어 했다. (　　　)

①가회 ②하회 ③가면 ④하면

42. 우리 부서는 製品의 질 개선을 책임진다. (　　　)

①재품 ②물품 ③제품 ④물건

※ **밑줄 친 부분을 한자로 바르게 쓴 것을 고르시오.**

43. 평창 동계올림픽에서 우리나라 선수들이 선전하기를 국민 모두가 한마음으로 염원한다. (　　　)

①念頭 ②念願 ③念佛 ④記念

44. 그는 건강을 위해 한방약재로 차를 끓여 마신다. (　　　)

①樂才 ②藥才 ③藥材 ④樂材

※ **물음에 알맞은 답을 고르시오.**

45. 어휘의 짜임이 다른 것은? (　　　)

①呼名 ②點燈 ③宿患 ④背信

46. '創案'의 유의어는? (　　　)

①創立 ②考案 ③創建 ④意案

47. 반의어의 연결이 바르지 않은 것은? (　　　)

①非番↔當番 ②加算↔減算
③落第↔及第 ④實利↔實益

48. 成語의 쓰임이 적절하지 않은 것은? (　　　)

①온 국민이 異口同聲으로 응원가를 불렀다.
②강한 것을 약하게 대하는 것이 自强不息이다.
③事必歸正처럼 모든 일은 순리를 따르게 되어 있다.
④陽春佳節이 지나고 더운 여름이 다가왔다.

49. 太極旗를 대하는 태도로 바르지 않은 것은? (　　　)

①國慶日에는 꼭 달지 않아도 된다고 생각한다.
②우리나라를 代表하는 것이므로 所重하게 간직한다.
③國旗를 사용하지 않을 때에는 보관함에 넣어 보관한다.
④國旗가 훼손되어도 함부로 버리지 않는다.

50. 큰아버지 子女와 나의 촌수로 옳은 것은? (　　　)

①四寸 ②三寸 ③二寸 ④五寸

대한민국한자급수자격검정시험 준3급

6회 실전대비문제

시험시간 : 40분

점수:

※ 한자의 훈음으로 바른 것을 고르시오.

1. 益 (　　　) ①더할 가 ②더할 익 ③착할 선 ④이로울 리

2. 拜 (　　　) ①예도 례 ②거느릴 부 ③살필 찰 ④절 배

3. 絲 (　　　) ①맺을 결 ②가늘 세 ③실 사 ④익힐 련

4. 丙 (　　　) ①안 내 ②남녘 병 ③두 량 ④병 병

5. 妙 (　　　) ①구할 요 ②좋을 호 ③묘할 묘 ④끌 인

6. 慶 (　　　) ①경사 경 ②넓을 광 ③사랑 애 ④효도 효

7. 保 (　　　) ①온전할 전 ②지킬 보 ③쉴 휴 ④지킬 수

8. 巳 (　　　) ①몸 기 ②눈 목 ③뱀 사 ④활 궁

9. 禁 (　　　) ①묶을 속 ②구할 구 ③수풀 림 ④금할 금

10. 飯 (　　　) ①먹을 식 ②돌이킬 반 ③밥 반 ④맛 미

※ 훈음에 맞는 한자를 고르시오.

11. 빌 허 (　　　) ①朱 ②脫 ③虛 ④減

12. 다스릴 치 (　　　) ①治 ②致 ③給 ④和

13. 근심 수 (　　　) ①感 ②愁 ③論 ④破

14. 재화 화 (　　　) ①費 ②財 ③暴 ④貨

15. 힘쓸 노 (　　　) ①怒 ②榮 ③努 ④營

16. 들을 청 (　　　) ①聽 ②眼 ③耳 ④貯

17. 콩 두 (　　　) ①點 ②豆 ③草 ④算

18. 숨쉴 식 (　　　) ①惠 ②息 ③思 ④吸

19. 둥글 원 (　　　) ①圓 ②固 ③團 ④園

20. 이을 계 (　　　) ①絶 ②斷 ③繼 ④經

※ 물음에 알맞은 답을 고르시오.

21. 한자의 제자원리(六書) 중 '형성자'가 아닌 것은? (　　　)

①宗 ②夜 ③謠 ④根

22. 밑줄 친 '拾'의 독음이 다른 것은? (　　　)

①拾骨　②拾遺　③收拾　④參拾

23. 어휘와 독음의 연결이 바르지 않은 것은? (　　　)

①倫理-윤리　②省略-생략

③規則-규직　④烈婦-열부

24. '難'을(를) 자전에서 찾을 때의 방법으로 바르지 않은 것은? (　　　)

①字音으로 찾을 때는 '난'음에서 찾는다.

②총획으로 찾을 때는 '19획'에서 찾는다.

③부수로 찾을 때는 '隹'부수 11획에서 찾는다.

④부수로 찾을 때는 '++'부수 15획에서 찾는다.

25. '舍'의 유의자는? (　　　)

①宅　②合　③口　④語

26. '成'의 반의자는? (　　　)

①養　②功　③敗　④育

27. "異□, □量, 變□"에서 □안에 공통으로 들어갈 알맞은 한자는? (　　　)

①界　②重　③質　④面

※ 어휘의 독음이 바른 것을 고르시오.

28. 非常 (　　　) ①비상 ②미당 ③비당 ④미상

29. 印章 (　　　) ①묘창 ②묘장 ③인장 ④인창

30. 册房 (　　　) ①죽방 ②책호 ③선방 ④책방

31. 布木 (　　　) ①포목 ②건목 ③시목 ④표목

32. 適當 (　　　) ①역장 ②적당 ③역당 ④적상

33. 降雨 (　　　) ①강우 ②항우 ③강설 ④강운

34. 風俗 (　　　) ①풍욕 ②풍전 ③풍곡 ④풍속

35. 念佛 (　　　) ①영불 ②념물 ③염불 ④념부

※ 어휘의 뜻으로 알맞은 것을 고르시오.

36. 指示 (　　　)

①단체의 행동을 통솔함.　②자신을 가리킴.

③손가락 끝.　④가리켜 보임.

37. 取材 (　　　)

①재료를 찾아서 얻음.　②재주를 시험해서 뽑음.

③촌락을 형성함.　④음식을 섭취함.

※ **낱말을 한자로 바르게 쓴 것을 고르시오.**

38. 직책: 직무상의 책임. (　　　)

①職責　②職員　③職場　④職位

39. 배임: 주어진 임무를 저버림. (　　　)

①背壬　②倍增　③背任　④倍任

※ **밑줄 친 어휘의 알맞은 독음을 고르시오.**

40. 현재 난처한 地境에 놓여 있다.

(　　　)

①지견　②처지　③지경　④지역

41. 잘못에 대한 聲討(이)가 끊이지 않고 있다.

(　　　)

①문토　②문촌　③성촌　④성토

42. 그의 재치있는 話術에 배를 움켜잡고 웃었다.

(　　　)

①화행　②화술　③와술　④설출

※ **밑줄 친 부분을 한자로 바르게 쓴 것을 고르시오.**

43. 전통을 창조적으로 계승할 줄 알아야 한다.

(　　　)

①電通　②傳統　③專通　④展統

44. 그는 건강을 유지하기 위해 아침마다 운동을 한다.

(　　　)

①件强　②建强　③建康　④健康

※ **물음에 알맞은 답을 고르시오.**

45. 어휘의 짜임이 다른 것은?

(　　　)

①始終　②寒暖　③美談　④順逆

46. 유의어의 연결이 바르지 않은 것은? (　　　)

①他鄕=故鄕　②將兵=將卒

③大衆=群衆　④手續=節次

47. '吉兆'의 반의어는? (　　　)

①前兆　②凶兆　③七兆　④凶物

48. "甲男乙女"의 속뜻으로 알맞은 것은?

(　　　)

①이름이 알려지지 않은 평범한 사람들.

②평범한 남자와 훌륭한 여자.

③훌륭한 남자와 평범한 여자.

④이름이 알려진 훌륭한 사람들.

49. 문을 출입할 때의 예절로써 바르지 않은 자세는?

(　　　)

①노크나 인기척을 내어 상대방에게 출입을 알린다.

②출입할 때에는 문턱을 밟지 않는다.

③문을 열고 닫을 때에는 두 손으로 공손히 한다.

④문을 열고 닫을 때에는 소리가 크게 나도록 한다.

50. 24절기에 속하지 않는 것은? (　　　)

①秋夕　②冬至　③夏至　④春分

7회

대한민국한자급수자격검정시험 준3급

실전대비문제

시험시간 : 40분

점수:

※ 한자의 훈음으로 바른 것을 고르시오.

1. 散 ( ) ①모양 상 ②흩어질 산 ③금할 금 ④항상 상
2. 應 ( ) ①그늘 음 ②가게 점 ③차례 서 ④응할 응
3. 續 ( ) ①고울 선 ②가릴 선 ③지어미 부 ④이을 속
4. 除 ( ) ①지을 제 ②덜 제 ③제목 제 ④차례 제
5. 寅 ( ) ①범 인 ②끌 인 ③인할 인 ④정할 정
6. 壹 ( ) ①어제 작 ②클 위 ③한 일 ④본받을 효
7. 佛 ( ) ①쓸 비 ②부처 불 ③살 주 ④슬플 비
8. 候 ( ) ①바랄 희 ②기후 후 ③닦을 수 ④뒤 후
9. 松 ( ) ①소나무 송 ②공변될 공 ③다리 교 ④나무 수
10. 破 ( ) ①물결 파 ②판단할 판 ③깨뜨릴 파 ④조각 편

※ 훈음에 맞는 한자를 고르시오.

11. 가질 취 ( ) ①船 ②最 ③規 ④取
12. 평상 상 ( ) ①商 ②相 ③床 ④賞
13. 시내 계 ( ) ①煙 ②呼 ③湖 ④溪
14. 풀 해 ( ) ①速 ②運 ③解 ④近
15. 빽빽할 밀 ( ) ①寫 ②客 ③密 ④番
16. 일어날 흥 ( ) ①德 ②典 ③興 ④凶
17. 날 비 ( ) ①飛 ②貳 ③列 ④努
18. 쓸 소 ( ) ①流 ②調 ③次 ④掃
19. 남녘 병 ( ) ①丙 ②逆 ③兵 ④内
20. 쌀 포 ( ) ①接 ②巳 ③包 ④暴

※ 물음에 알맞은 답을 고르시오.

21. 한자의 제자원리(六書) 중 '상형자'가 아닌 것은? ( )

①角 ②星 ③弓 ④雨

22. 밑줄 친 '說'의 독음이 다른 것은?

(　　　)

①說話　②說教　③說明　④說樂

23. "오늘은 외할머니 生辰이다"에서 밑줄 친 '辰'의 훈음으로 가장 알맞은 것은?

(　　　)

①별 진　②때 신　③때 진　④아침 신

24. '否, 句, 味, 吏'의 공통점으로 바른 것은?

(　　　)

①뜻이 같다.　②소리가 같다.

③부수가 같다.　④총획이 같다.

25. 유의자의 연결이 바르지 않은 것은?

(　　　)

①境=界　②記=緣　③儉=約　④保=守

26. 반의자의 연결이 바르지 않은 것은?

(　　　)

①安↔危　②京↔鄕　③方↔圓　④集↔會

27. "時□, 季□, □氣"에서 □안에 공통으로 들어갈 알맞은 한자는?

(　　　)

①節　②溫　③言　④父

※ 어휘의 독음이 바른 것을 고르시오.

28. 略圖 (　　　) ①약도 ②각도 ③약식 ④낙도

29. 丹青 (　　　) ①단청 ②란청 ③모청 ④주청

30. 寶庫 (　　　) ①보차 ②보고 ③패차 ④패고

31. 舍宅 (　　　) ①사댁 ②사택 ③설택 ④설댁

32. 口舌 (　　　) ①구활 ②구화 ③구설 ④구사

33. 素材 (　　　) ①소목 ②사목 ③사재 ④소재

34. 變造 (　　　) ①연조 ②변조 ③연고 ④변고

35. 軍隊 (　　　) ①차부 ②차대 ③군대 ④군부

※ 어휘의 뜻으로 알맞은 것을 고르시오.

36. 前兆 (　　　)

①어떤 일이 생길 기미.　②억대의 돈이 앞에 걸림.

③미리 많은 돈을 냄.　④앞선 조짐이 아주 좋음.

37. 誤算 (　　　)

①잘못 셈함.　②잘못 줌.

③잘못 낳음.　④잘못 삶.

※ 낱말을 한자로 바르게 쓴 것을 고르시오.

38. 적당: 정도에 알맞음. ( )

①敵當 ②適當 ③敵堂 ④適堂

39. 참여: 어떤 일에 끼어들어 관계함. ( )

①參與 ②參拜 ③參考 ④與論

※ 밑줄 친 어휘의 알맞은 독음을 고르시오.

40. 책을 읽을 때는 精讀이(가) 필요하다. ( )

①청독 ②정독 ③청서 ④정서

41. 불황으로 자동차의 판매량이 減少되었다. ( )

①감량 ②축소 ③감소 ④가감

42. 자기 發展을 위해 끊임없이 노력해야 한다. ( )

①방전 ②발천 ③방천 ④발전

※ 밑줄 친 부분을 한자로 바르게 쓴 것을 고르시오.

43. 가정에 건강과 행복이 충만하시기를 빕니다. ( )

①充滿 ②充足 ③滿足 ④充分

44. 그 마을에는 아직도 전통이 그대로 살아 있다. ( )

①專統 ②傳統 ③傳通 ④專通

※ 물음에 알맞은 답을 고르시오.

45. 어휘의 짜임이 다른 것은? ( )

①愛國 ②殺蟲 ③牛步 ④植木

46. 유의어의 연결이 바르지 않은 것은? ( )

①父母=兩親 ②高潔=低俗
③假令=假使 ④同甲=甲長

47. 반의어의 연결이 바르지 않은 것은? ( )

①空想↔現實 ②義務↔權利
③終講↔終末 ④能動↔受動

48. 성어가 문장에서 적절하게 쓰이지 못한 것은? ( )

①지난 겨울에 돌아가신 할머니께서는 一點血肉도 없는 분이셨다.
②사는 동안에는 虛送歲月하지 말고 최선을 다해 살아야 한다.
③走馬看山으로 주위의 경관을 잘 살필 수 있었다.
④연이은 폭우로 채소 가격이 天井不知로 올랐다.

49. 아버지께서 부르실 때 취할 행동으로 가장 바른 것은? ( )

①빨리 대답하고 달려가 명을 받는다.
②대답하되 급하지 않으면 천천히 간다.
③하던 일을 계속하며 대답하지 않는다.
④하던 일을 다 마치고 대답한다.

50. 한자의 구성 원리에 대한 설명으로 바르지 않은 것은? ( )

①상형은 사물의 모양을 본뜬 것이다.
②회의는 두 글자의 뜻을 결합한 것이다.
③형성은 다른 글자의 소리를 빌려 쓴 것이다.
④지사는 추상적인 뜻을 부호나 도형으로 나타낸 것이다.

대한민국한자급수자격검정시험 준3급

8회 실전대비문제

시험시간 : 40분

점수:

※ 한자의 훈음으로 바른 것을 고르시오.

1. 討 (　　　) ①말씀 화　②집 원　③말씀 담　④칠 토

2. 專 (　　　) ①법 전　②오로지 전　③같을 약　④높을 탁

3. 細 (　　　) ①가늘 세　②만날 우　③여자 녀　④실 사

4. 康 (　　　) ①사례할 사　②소리 성　③편안할 강　④재주 예

5. 句 (　　　) ①글귀 구　②읽을 독　③궁구할 구　④꼬리 미

6. 申 (　　　) ①다툴 쟁　②펼 신　③이를 조　④짧을 단

7. 戊 (　　　) ①이룰 성　②천간 무　③하여금 사　④버금 차

8. 愁 (　　　) ①물결 파　②근심 수　③슬플 비　④논할 론

9. 床 (　　　) ①멀 원　②뒤 후　③평상 상　④쉴 휴

10. 笑 (　　　) ①웃음 소　②정기 정　③뿌리 근　④뭍 륙

※ 훈음에 맞는 한자를 고르시오.

11. 미칠 급 (　　　) ①及　②級　③急　④給

12. 조각 편 (　　　) ①看　②檢　③片　④松

13. 부를 호 (　　　) ①修　②呼　③歸　④續

14. 바늘 침 (　　　) ①貳　②伐　③舌　④針

15. 표 표 (　　　) ①罪　②要　③票　④表

16. 보배 보 (　　　) ①倍　②寶　③部　④拜

17. 매울 신 (　　　) ①卒　②辛　③氏　④幸

18. 손가락 지 (　　　) ①持　②掃　③打　④指

19. 곳집 고 (　　　) ①因　②庫　③官　④丙

20. 경계할 경 (　　　) ①景　②敬　③警　④慶

※ 물음에 알맞은 답을 고르시오.

21. 한자의 제자원리(六書) 중 '상형자'인 한자는? (　　　)

①養　②長　③放　④觀

22. 밑줄 친 '使'의 독음이 다른 것은? (　　)

①形便 ②便器 ③便紙 ④增便

23. "친구끼리 暴力을 사용하면 안된다"에서 밑줄 친 '暴'의 훈음으로 가장 알맞은 것은? (　　)

①사나울 폭 ②모질 포 ③갑자기 포 ④희다 박

24. '營'(을)를 자전에서 찾을 때의 방법으로 바르지 않은 것은? (　　)

①자음으로 찾을 때는 '영'음에서 찾는다.

②총획으로 찾을 때는 '17획'에서 찾는다.

③부수로 찾을 때는 '冖'부수 15획에서 찾는다.

④부수로 찾을 때는 '火'부수 13획에서 찾는다.

25. 유의자의 연결이 바르지 않은 것은? (　　)

①群=隊 ②恩=惠 ③賞=罰 ④希=望

26. 반의자의 연결이 바르지 않은 것은? (　　)

①起↔伏 ②斷↔絶 ③集↔散 ④君↔臣

27. "未□, □員, □足"에서 □안에 공통으로 들어갈 알맞은 한자는? (　　)

①滿 ②背 ③來 ④船

※ 어휘의 독음이 바른 것을 고르시오.

28. 講義 (　　) ①양의 ②상의 ③논의 ④강의

29. 班列 (　　) ①반영 ②반열 ③보렬 ④보열

30. 製品 (　　) ①제고 ②재고 ③제품 ④재조

31. 判決 (　　) ①변별 ②판명 ③변명 ④판결

32. 無煙 (　　) ①무영 ②무년 ③무연 ④무어

33. 房門 (　　) ①조간 ②방간 ③조문 ④방문

34. 街路樹 (　　) ①가요기 ②가로등 ③상가등 ④가로수

※ 어휘의 뜻으로 알맞은 것을 고르시오.

35. 走馬燈 (　　)

①윗사람에게 보고함. ②더러움 없이 깨끗함.

③놓아 주었다 다시 잡음.

④무엇이 언뜻언뜻 빨리 지나감.

36. 各種 (　　)

①씨앗. ②여러 가지의 종류.

③직업이나 영업의 종류. ④두 가지 종류.

37. 夜陰 (　　)

①밤의 어둠. ②지난 밤.

③짧은 밤. ④달이 밝은 밤.

※ 낱말을 한자로 바르게 쓴 것을 고르시오.

38. 취소: 발표한 의사를 거두어들이거나 예정된 일을 없애 버림. (　　)

①統一 ②通過 ③取消 ④取所

39. 두유: 콩으로 만든 우유 같은 액체. (　　)

①頭油 ②豆乳 ③頭由 ④豆油

※ 밑줄 친 어휘의 알맞은 독음을 고르시오.

40. 수질이 일단은 안전기준에 適合한 것으로 나타났다. (　　)

①단합 ②기합 ③시합 ④적합

41. 연금 制度은(는) 노후 복지를 위한 것이다. (　　)

①제도 ②재도 ③제탁 ④재탁

42. 최악의 상황을 假定하고 대책을 세우자. (　　)

①하필 ②거중 ③하정 ④가정

※ 밑줄 친 부분을 한자로 바르게 쓴 것을 고르시오.

43. 새 옷을 저렴한 가격으로 샀다. (　　)

①家政 ②情價 ③引下 ④價格

44. 기업은 무엇보다 투명한 경영과 공정한 경쟁을 원칙으로 해야 한다. (　　)

①稅則 ②原則 ③願則 ④減稅

※ 물음에 알맞은 답을 고르시오.

45. 어휘의 짜임이 다른 것은? (　　)

①新興 ②藥用 ③在野 ④相應

46. '結氷'의 반의어는? (　　)

①海氷 ②解水 ③解氷 ④海水

47. 유의어의 연결이 바른 것은? (　　)

①非番=當番 ②好調=快調
③高潔=低俗 ④加入=脫退

48. "連戰連勝"의 속뜻으로 알맞은 것은? (　　)

①연거푸 싸움만 함. ②한번 싸워 한번만 이김.
③싸움마다 모두 이김. ④싸움에서 이기거나 짐.

49. 평소의 예절바른 행동으로 보기 어려운 것은? (　　)

①공공場所에서는 어른들께 자리를 양보한다.
②兄弟나 親舊間에는 사이좋게 지낸다.
③웃어른께는 항상 공손하게 人事를 드린다.
④順序나 次例는 마음 내킬 때만 지킨다.

50. 한자문화권에 속하지 않는 나라는? (　　)

①韓國 ②中國 ③日本 ④美國

대한민국한자급수자격검정시험 준3급

9회 실전대비문제

시험시간 : 40분

점수:

※ 한자의 훈음으로 바른 것을 고르시오.

1. 假 (　　　) ①그릇 기　②바를 단　③거짓 가　④값 가

2. 飛 (　　　) ①갖출 비　②이을 계　③날 비　④시내 계

3. 究 (　　　) ①완전할 완　②궁구할 구　③지킬 수　④집 택

4. 儉 (　　　) ①검사할 검　②검소할 검　③격식 격　④골 곡

5. 聽 (　　　) ①들을 문　②들을 청　③고을 군　④덕 덕

6. 票 (　　　) ①여름 하　②사나울 포　③표 표　④금할 금

7. 請 (　　　) ①푸를 청　②청할 청　③범 인　④응할 응

8. 悲 (　　　) ①근심 수　②슬플 비　③물결 파　④견줄 비

9. 戒 (　　　) ①경계할 계　②이룰 성　③개 술　④천간 무

10. 接 (　　　) ①헤아릴 료　②이을 접　③곳 처　④칠 타

※ 훈음에 맞는 한자를 고르시오.

11. 세금 세 (　　　) ①稅　②歲　③如　④餘

12. 펼 신 (　　　) ①甲　②申　③由　④田

13. 다스릴 치 (　　　) ①致　②河　③治　④洋

14. 남길 유 (　　　) ①過　②退　③遺　④遇

15. 이에 내 (　　　) ①給　②亥　③乃　④及

16. 바늘 침 (　　　) ①針　②依　③鐵　④銀

17. 찾을 탐 (　　　) ①技　②略　③藝　④探

18. 바랄 희 (　　　) ①效　②希　③市　④布

19. 지게문 호 (　　　) ①乙　②卓　③户　④呼

20. 벼슬 관 (　　　) ①觀　②考　③官　④關

※ 물음에 알맞은 답을 고르시오.

21. 한자의 제자원리(六書) 중 '회의'에 해당하는 한자는? (　　　)

①莫　②角　③豆　④村

22. 밑줄 친 '狀'의 독음이 다른 것은?

( )

①答狀 ②實狀 ③賞狀 ④令狀

23. "바람이 불자 落葉이 떨어졌다"에서 밑줄 친 '葉'의 훈음으로 바른 것은?

( )

①꽃잎 접 ②땅이름 섭 ③책 접 ④잎 엽

24. '巨'을(를) 자전에서 찾을 때의 방법으로 바르지 않은 것은? ( )

①총획으로 찾을 때는 '5획'에서 찾는다.

②字音으로 찾을 때는 '거'음에서 찾는다.

③부수로 찾을 때는 '工'부수 2획에서 찾는다.

④부수로 찾을 때는 '匚'부수 2획에서 찾는다.

25. '記'의 유의자는?

( )

①期 ②充 ③錄 ④重

26. '散'의 반의자는?

( )

①集 ②責 ③最 ④丑

27. "形□, □紙, 男□"에서 □안에 공통으로 들어갈 알맞은 한자는? ( )

①式 ②場 ③知 ④便

※ 어휘의 독음이 바른 것을 고르시오.

28. 飯頭 ( ) ①반두 ②반도 ③음두 ④음도

29. 修養 ( ) ①수양 ②조양 ③조련 ④수련

30. 野營 ( ) ①야여 ②야영 ③야근 ④여영

31. 興亡 ( ) ①일망 ②흥망 ③흥쇠 ④일진

32. 復活 ( ) ①보활 ②본화 ③부활 ④불화

33. 純度 ( ) ①선서 ②순도 ③순서 ④선도

34. 起床 ( ) ①기복 ②주상 ③기상 ④주기

※ 어휘의 뜻으로 알맞은 것을 고르시오.

35. 體驗 ( )

①자기가 몸소 겪음. ②체력 시험.

③체력이 몹시 떨어짐. ④몸이 몹시 위험함.

36. 均質 ( )

①동일한 제품. ②세균이 없음.

③성분이나 특성이 일정함. ④균형 잡힌 몸매.

37. 虛榮 ( )

①영광스러운 일. ②실상이 있는 행동.

③뜻하지 않은 영광. ④필요 이상의 겉치레.

※ 낱말을 한자로 바르게 쓴 것을 고르시오.

38. 인가: 인정하여 허가함. ( )

①人認 ②引價 ③認可 ④認價

39. 창안: 처음으로 생각해 냄. ( )

①案件 ②創製 ③創案 ④創立

※ 밑줄 친 어휘의 알맞은 독음을 고르시오.

40. 남쪽 지방은 기후가 <u>溫暖</u>하다. ( )

①냉화 ②냉난 ③온화 ④온난

41. <u>列車</u> 사고로 많은 인명 피해가 났다. ( )

①녈차 ②열거 ③열차 ④녈거

42. 그는 아버지의 유산을 <u>相續</u>받았다. ( )

①상연 ②상속 ③상독 ④상계

※ 밑줄 친 부분을 한자로 바르게 쓴 것을 고르시오.

43. 그는 시민들에게 복지 기관을 신설하겠다고 <u>공약</u>하였다. ( )

①工約 ②功約 ③公約 ④公若

44. 우리나라는 오천년의 유구한 <u>역사</u>와 고유한 전통문화를 자랑하는 민족입니다. ( )

①逆史 ②歷史 ③逆事 ④歷思

※ 물음에 알맞은 답을 고르시오.

45. 어휘의 짜임이 <u>다른</u> 것은? ( )

①詩句 ②輕罰 ③怒氣 ④伐木

46. 반의어의 연결이 바르지 <u>않은</u> 것은? ( )

①脫衣↔着衣 ②收入↔支出

③報恩↔背恩 ④淸潔↔掃除

47. 유의어의 연결이 바르지 <u>않은</u> 것은? ( )

①術數=術法 ②中指=長指

③書店=冊房 ④要點=要求

48. "牛耳讀經"의 속뜻으로 알맞은 것은? ( )

①소는 귀가 밝지 않음. ②말뜻을 잘 알아들음.

③말뜻을 알아듣지 못함. ④소는 귀가 밝음.

49. 兄弟간에 가장 필요한 덕목은? ( )

①孝道 ②友情 ③友愛 ④信義

50. '五倫'에 속하지 <u>않은</u> 것은? ( )

①父子有親 ②君臣有義

③夫婦有別 ④朋友有序

대한민국한자급수자격검정시험 준3급

10회 실전대비문제

시험시간 : 40분

점수:

※ 한자의 훈음으로 바른 것을 고르시오.

1. 持 (　　　) ①가질 지　②충성 충　③벌레 충　④쾌할 쾌

2. 伏 (　　　) ①소 축　②뼈 골　③재화 화　④엎드릴 복

3. 看 (　　　) ①나눌 구　②볼 간　③들 거　④그 기

4. 呼 (　　　) ①비롯할 창　②부를 호　③부를 창　④창문 창

5. 針 (　　　) ①점 점　②순수할 순　③바늘 침　④무리 대

6. 指 (　　　) ①뜻 지　②이를 지　③손가락 지　④더할 증

7. 保 (　　　) ①일어날 흥　②바를 단　③실 사　④지킬 보

8. 脫 (　　　) ①벗을 탈　②경사 경　③마디 절　④빛날 요

9. 户 (　　　) ①사이 간　②관계할 관　③지게문 호　④문 문

10. 舌 (　　　) ①머리 두　②혀 설　③하여금 사　④상줄 상

※ 훈음에 맞는 한자를 고르시오.

11. 집 사 (　　　) ①斷　②飛　③舍　④請

12. 이을 계 (　　　) ①計　②繼　③季　④戒

13. 말 두 (　　　) ①買　②獨　③鼻　④斗

14. 끌 인 (　　　) ①引　②因　③雄　④院

15. 높을 존 (　　　) ①制　②尊　③益　④已

16. 씩씩할 장 (　　　) ①場　②將　③章　④壯

17. 인륜 륜 (　　　) ①類　②略　③綠　④倫

18. 천간 계 (　　　) ①庚　②癸　③乙　④丙

19. 익힐 강 (　　　) ①郡　②壇　③講　④庫

20. 마루 종 (　　　) ①助　②朝　③調　④宗

※ 물음에 알맞은 답을 고르시오.

21. 한자의 제자원리(六書) 중 '상형자'가 아닌 것은? (　　　)

①本　②干　③要　④回

22. 밑줄 친 '拾'의 독음이 다른 것은?

( )

①貳拾 ②九拾 ③拾遺 ④參拾

23. "로마 제국이 復活되었다"에서 밑줄 친 '復'의 훈음으로 가장 알맞은 것은? ( )

①회복할 복 ②거듭 복 ③돌아올 부 ④다시 부

24. '想, 思, 考, 念'의 공통점으로 바른 것은?

( )

①부수가 같다 ②총획이 같다

③뜻이 같다 ④음이 같다

25. 유의자의 연결이 바르지 않은 것은?

( )

①健=康 ②競=走 ③海=洋 ④果=實

26. '圓'의 반의자는?

( )

①功 ②方 ③園 ④收

27. '□兒, □製品, 豆□'에서 □안에 공통으로 들어갈 알맞은 한자는? ( )

①完 ②新 ③乳 ④油

※ 어휘의 독음이 바른 것을 고르시오.

28. 認定 ( ) ①인식 ②허식 ③허정 ④인정

29. 儉約 ( ) ①속약 ②검약 ③윤작 ④속작

30. 溪谷 ( ) ①개곡 ②계속 ③계곡 ④개속

31. 與件 ( ) ①여우 ②흥건 ③관건 ④여건

32. 謝絶 ( ) ①시절 ②시색 ③사절 ④사색

33. 散發 ( ) ①산발 ②삭발 ③삭제 ④산제

34. 長官 ( ) ①단궁 ②장궁 ③단관 ④장관

※ 어휘의 뜻으로 알맞은 것을 고르시오.

35. 白紙 ( )

①빛깔이 흰 술. ②깨끗하고 맑은 물.

③흰 종이. ④털의 빛깔이 흰 사슴.

36. 未滿 ( )

①얼마 안 가서. ②찬성하지 않음.

③정한 정도에 차지 못함. ④아직 도착을 못함.

37. 傳達 ( )

①전하여 이르게 함. ②도를 통달함.

③전기가 통함. ④문화를 이어 받음.

※ 낱말을 한자로 바르게 쓴 것을 고르시오.

38. 가명: 임시로 지어 부르는 이름. ( )

①佳名 ②改名 ③家名 ④假名

39. 폭언: 난폭하게 말함. ( )

①坐談 ②暴言 ③談笑 ④暴行

※ 밑줄 친 어휘의 알맞은 독음을 고르시오.

40. 휴가 나온 삼촌이 우리들에게 兵營 생활을 얘기해 주었다. ( )

①병경 ②병양 ③병영 ④병사

41. 집에 들어가기 전에 잠시 筆房에 들렀다. ( )

①필방 ②필치 ③서방 ④선방

42. 인간존중은 동서고금을 莫論한 윤리이다. ( )

①물론 ②묘논 ③막론 ④미논

※ 밑줄 친 부분을 한자로 바르게 쓴 것을 고르시오.

43. 감기 인플루엔자의 변종이 발견됐다. ( )

①別種 ②變種 ③變受 ④變績

44. 아들・딸・장남・차남 구별 없이 균등 상속을 규정하고 있다. ( )

①均燈 ②均登 ③均同 ④均等

※ 물음에 알맞은 답을 고르시오.

45. 어휘의 짜임이 다른 것은? ( )

①順逆 ②辛勝 ③始終 ④寒暖

46. '許容'의 반의어는? ( )

①主任 ②利害 ③禁止 ④許可

47. 유의어의 연결이 바르지 않은 것은? ( )

①夏季=夏期 ②形勢=形便

③愁心=愁意 ④解氷=結氷

48. "眼下無人"의 속뜻으로 알맞은 것은? ( )

①대적할 사람이 없음 ②다른 사람을 업신여김

③마음에 드는 사람이 없음 ④글자를 전혀 모름

49. 出入할 때의 禮節로 바르지 않은 것은? ( )

①문을 열고 닫을 때에는 소리가 크게 나도록 한다.

②出入할 때에는 문턱을 밟지 않는다.

③노크나 인기척을 내어 상대방에게 출입을 알린다.

④문을 열고 닫을 때에는 두 손으로 공손히 한다.

50. 나와 작은아버지와의 촌수로 맞는 것은? ( )

①二寸 ②三寸 ③四寸 ④五寸

대한민국한자급수자격검정시험 준3급

11회 실전대비문제

시험시간 : 40분

점수:

※ 한자의 훈음으로 바른 것을 고르시오.

1. 倫 (　　　) ①인륜 륜　②충성 충　③도장 인　④범 인

2. 貳 (　　　) ①한 일　②두 이　③장정 정　④재화 화

3. 酉 (　　　) ①닭 유　②서녘 서　③기를 육　④고기 육

4. 判 (　　　) ①베 포　②판단할 판　③가질 취　④오로지 전

5. 驗 (　　　) ①시험 시　②소나무 송　③시험 험　④그늘 음

6. 素 (　　　) ①바 소　②실 사　③흴 소　④뱀 사

7. 訪 (　　　) ①찾을 방　②마실 음　③벼슬 관　④막을 방

8. 拾 (　　　) ①주울 습　②합할 합　③같을 약　④영화 영

9. 耕 (　　　) ①지경 경　②밭 전　③밭갈 경　④간략할 략

10. 職 (　　　) ①평상 상　②벼슬 직　③위태할 위　④맞을 적

※ 훈음에 맞는 한자를 고르시오.

11. 천간 임 (　　　) ①引　②丑　③壬　④户

12. 이을 접 (　　　) ①計　②接　③指　④戒

13. 성낼 노 (　　　) ①怒　②號　③候　④呼

14. 슬플 비 (　　　) ①悲　②比　③費　④佛

15. 거짓 가 (　　　) ①價　②假　③佳　④加

16. 절 사 (　　　) ①舍　②會　③念　④寺

17. 연기 연 (　　　) ①煙　②研　③練　④連

18. 비롯할 창 (　　　) ①唱　②創　③窓　④群

19. 붉을 주 (　　　) ①丹　②壇　③朱　④朴

20. 거둘 수 (　　　) ①受　②授　③修　④收

※ 물음에 알맞은 답을 고르시오.

21. 한자의 제자 원리(六書) 중 '회의자'가 아닌 것은? (　　　)

①美　②斗　③伐　④間

22. 밑줄 친 '復'의 독음이 다른 것은?

( )

①復舊 ②往復 ③復習 ④復活

23. '快擧'에서 밑줄 친 '快'의 훈음으로 가장 알맞은 것은? ( )

①빠를 쾌 ②쾌할 쾌 ③바를 쾌 ④방종할 쾌

24. "否, 句, 味, 史"의 공통점으로 바른 것은?

( )

①뜻이 같다. ②소리가 같다.

③부수가 같다. ④총획이 같다.

25. 유의자의 연결이 바르지 않은 것은?

( )

①知=識 ②想=急 ③家=屋 ④中=央

26. '首'의 반의자는?

( )

①面 ②尾 ③眼 ④毛

27. "政□, □安, 法□"에서 □안에 공통으로 들어갈 알맞은 한자는?

( )

①表 ②社 ③治 ④界

※ 어휘의 독음이 바른 것을 고르시오.

28. 至尊 ( ) ①지극 ②기극 ③기존 ④지존

29. 繼承 ( ) ①단승 ②계승 ③단수 ④계수

30. 談笑 ( ) ①담요 ②염소 ③담소 ④염요

31. 點線 ( ) ①점사 ②흑선 ③흑사 ④점선

32. 逆調 ( ) ①역주 ②역조 ③거주 ④거조

33. 隊員 ( ) ①대원 ②단원 ③단패 ④대패

34. 戌時 ( ) ①묘시 ②무시 ③축시 ④술시

※ 어휘의 뜻으로 알맞은 것을 고르시오.

35. 非難 ( )

①어려움이 없는 일 ②시비를 가리기 어려움

③남의 잘못을 책잡아서 나쁘게 말함

④비통하고 어려운 상황

36. 淸潔 ( )

①맑고 더러움 ②맑고 깨끗함

③청소를 깨끗하게 함 ④깨끗한 걸레

37. 探問 ( )

①더듬어 찾아 물음 ②탐욕스러운 물음

③풍부한 경험을 들음 ④심각한 일을 들음

※ 낱말을 한자로 바르게 쓴 것을 고르시오.

38. 발산: 감정 따위를 밖으로 드러내어 해소함. ( )

①發算 ②發令 ③發産 ④發散

39. 의지: 다른 것에 몸을 기댐. ( )

①依在 ②依支 ③依地 ④衣地

※ 밑줄 친 어휘의 알맞은 독음을 고르시오.

40. 그는 성격이 圓滿해서 친구가 많다. ( )

①단정 ②단아 ③원만 ④원활

41. 이 옷은 그녀가 手製로 만들었다. ( )

①수제 ②수재 ③모제 ④모재

42. 가끔 노래를 錄音하여 들어 보곤 한다. ( )

①연음 ②록취 ③녹음 ④녹취

※ 밑줄 친 부분을 한자로 바르게 쓴 것을 고르시오.

43. 일주일간의 식단을 미리 정해 놓았다. ( )

①式單 ②食單 ③食團 ④式團

44. 나는 고향으로 향하는 열차를 탔다. ( )

①汽車 ②列次 ③列擧 ④列車

※ 물음에 알맞은 답을 고르시오.

45. 어휘의 짜임이 다른 것은? ( )

①愛國 ②忘恩 ③牛步 ④伐草

46. '異端'의 반의어는? ( )

①極端 ②末端 ③正統 ④常溫

47. 유의어의 연결이 바르지 않은 것은? ( )

①他鄕=故鄕 ②大衆=群衆

③將兵=將卒 ④手續=節次

48. "寸鐵殺人"의 속뜻으로 알맞은 것은? ( )

①잠깐의 시간이라도 아껴야 함

②간단한 말로도 남의 약점을 찌를 수 있음

③마디마디 원한이 맺혀 원수를 죽임

④예리한 칼로 사람을 간단히 죽임

49. 친구 간에 가장 필요한 덕목은? ( )

①友情 ②孝道 ③利害 ④成功

50. 漢字를 익히는 方法으로 가장 바른 것은? ( )

①漢字의 대표 訓音을 빼고 익힌다.

②漢字의 部首를 無視하고 익힌다.

③漢字의 기초를 무작정 無視한다.

④漢字의 짜임을 통해 意味를 理解한다.

12회

대한민국한자급수자격검정시험 준3급

실전대비문제

시험시간 :40분

점수:

※ 한자의 훈음으로 바른 것을 고르시오.

1. 布 (　　) ①베 포　②지게문 호　③조각 편　④사나울 포

2. 想 (　　) ①항상 상　②서로 상　③생각 안　④생각 상

3. 努 (　　) ①힘쓸 노　②권세 세　③성낼 노　④수고로울 로

4. 降 (　　) ①익힐 강　②내릴 강　③매울 신　④벌일 렬

5. 略 (　　) ①각각 각　②익힐 련　③간략할 략　④가늘 세

6. 申 (　　) ①밭 전　②다를 이　③펼 신　④갑옷 갑

7. 賢 (　　) ①어질 현　②재화 화　③나타날 현　④성스러울 성

8. 危 (　　) ①클 위　②남길 유　③의지할 의　④위태할 위

9. 破 (　　) ①물결 파　②패할 패　③깨뜨릴 파　④기후 후

10. 討 (　　) ①가질 지　②칠 토　③손가락 지　④말씀 화

※ 훈음에 맞는 한자를 고르시오.

11. 등잔 등 (　　) ①等　②增　③燈　④炭

12. 근심 수 (　　) ①授　②愁　③思　④性

13. 일어날 흥 (　　) ①興　②成　③與　④擧

14. 권세 권 (　　) ①權　②根　③近　④級

15. 실 사 (　　) ①癸　②絲　③佳　④繼

16. 곳집 고 (　　) ①故　②廣　③固　④庫

17. 고를 균 (　　) ①均　②規　③極　④今

18. 표 표 (　　) ①要　②票　③冊　④丑

19. 돼지 해 (　　) ①解　②害　③亥　④旅

20. 편안할 강 (　　) ①狀　②庭　③序　④康

※ 물음에 알맞은 답을 고르시오.

21. 한자의 제자 원리(六書) 중 '회의'에 해당하는 한자는? (　　)

①養　②宗　③觀　④星

22. 밑줄 친 '殺'의 독음이 다른 것은?

( )

①殺氣 ②殺生 ③相殺 ④殺蟲

23. "오늘은 할머니 生辰이다"에서 밑줄 친 '辰'의 훈음으로 가장 알맞은 것은?

( )

①별 진 ②곳 신 ③곳 진 ④때 신

24. 한자와 부수의 연결이 바르지 않은 것은?

( )

①寺-寸 ②群-羊 ③更-口 ④省-目

25. 유의자의 연결이 바르지 않은 것은?

( )

①連=緣 ②堂=宅 ③停=止 ④防=守

26. '正'의 반의자는?

( )

①除 ②誤 ③字 ④直

27. "民□, □談, 世□"에서 □안에 공통으로 들어갈 알맞은 한자는? ( )

①族 ②朝 ③俗 ④現

※ 어휘의 독음이 바른 것을 고르시오.

28. 壯丁 ( ) ①상정 ②상징 ③장징 ④장정

29. 警告 ( ) ①경지 ②경고 ③농지 ④농고

30. 吸着 ( ) ①흡착 ②흡수 ③급착 ④급수

31. 假量 ( ) ①수량 ②기량 ③가량 ④도량

32. 筆房 ( ) ①필답 ②필방 ③필지 ④필실

33. 背景 ( ) ①배경 ②북경 ③반경 ④비경

34. 間接 ( ) ①문접 ②문집 ③간집 ④간접

※ 어휘의 뜻으로 알맞은 것을 고르시오.

35. 視聽 ( )

①보고 느낌을 말함 ②귀 기울여 잘 들음
③눈으로 보고 생각함 ④눈으로 보고 귀로 들음

36. 解放 ( )

①게으르고 방만함 ②일상적인 생활
③구속에서 벗어나게 함 ④죄를 짓고 달아남

37. 保健 ( )

①아이를 돌봄 ②이웃을 돌봄
③자연을 보호함 ④건강을 온전하게 지킴

※ 낱말을 한자로 바르게 쓴 것을 고르시오.

38. 경작: 땅을 갈아서 농사를 지음. ( )

①庚昨 ②庚作 ③耕昨 ④耕作

39. 난망: 잊기 어려움. ( )

①難亡 ②難忘 ③落亡 ④落忘

※ 밑줄 친 어휘의 알맞은 독음을 고르시오.

40. 게시판에 합격자 <u>名單</u>이(가) 공개되었다. ( )

①등수 ②석차 ③명단 ④점수

41. 그녀는 성격이 매우 <u>快活</u>하였다. ( )

①쾌활 ②교활 ③활발 ④활달

42. 회의가 곧 <u>續開</u>될 것이다. ( )

①촉구 ②촉개 ③속개 ④속기

※ 밑줄 친 부분을 한자로 바르게 쓴 것을 고르시오.

43. 서커스단의 <u>묘기</u>가 볼만하다. ( )

①妙氣 ②妙技 ③卯氣 ④卯技

44. 오래달리기 <u>경주</u>가 시작되었다. ( )

①慶走 ②慶週 ③競週 ④競走

※ 물음에 알맞은 답을 고르시오.

45. 어휘의 짜임이 <u>다른</u> 것은? ( )

①美談 ②買票 ③新式 ④百藥

46. '悲觀'의 반의어는? ( )

①觀光 ②觀察 ③悲運 ④樂觀

47. 유의어의 연결이 바르지 <u>않은</u> 것은? ( )

①天命=非命 ②教員=敎師

③代金=代價 ④決行=斷行

48. 성어의 쓰임이 바르지 <u>않은</u> 것은? ( )

①그는 기적적으로 <u>起死回生</u> 하였다.

②우리는 어릴 때부터 <u>呼兄呼弟</u>하는 사이이다.

③열을 열로써 다스리는 것이 <u>以熱治熱</u>이다.

④형은 동생보다 월등하여 <u>莫上莫下</u>로 힘이 세다.

49. '禮'에 관한 설명으로 바르지 <u>않은</u> 것은? ( )

①얼굴 표정은 온화하게 함

②용모는 공손하고 단정하게 함

③눈으로 볼 때에는 곁눈질로 흘겨봄

④귀로 들을 때에는 총명하게 들을 것을 생각함

50. 한자문화권에 속하지 <u>않은</u> 나라는? ( )

①중국 ②독일 ③한국 ④일본

13회

대한민국한자급수자격검정시험 준3급

실전대비문제

시험시간 : 40분

점수:

※ 한자의 훈음으로 바른 것을 고르시오.

1. 硏 (　　　) ①방패 간　②갈 연　③그럴 연　④평평할 평

2. 包 (　　　) ①뱀 사　②클 거　③가게 점　④쌀 포

3. 慶 (　　　) ①경사 경　②넓을 광　③사랑 애　④효도 효

4. 朱 (　　　) ①달릴 주　②붉을 주　③고을 주　④살 주

5. 起 (　　　) ①기 기　②막을 방　③일어날 기　④그 기

6. 務 (　　　) ①찾을 탐　②성낼 노　③힘쓸 무　④힘쓸 노

7. 若 (　　　) ①같을 약　②끊을 절　③맺을 약　④들 야

8. 狀 (　　　) ①칠 목　②클 위　③상줄 상　④모양 상

※ 훈음에 맞는 한자를 고르시오.

9. 두 이 (　　　) ①床　②針　③貳　④申

10. 방 방 (　　　) ①房　②屋　③展　④局

11. 맞을 적 (　　　) ①敵　②適　③的　④赤

12. 끊을 단 (　　　) ①丹　②單　③斷　④端

13. 청할 청 (　　　) ①聽　②請　③淸　④靑

14. 궁구할 구 (　　　) ①句　②具　③救　④究

15. 숨쉴 식 (　　　) ①息　②食　③式　④植

※ 물음에 알맞은 답을 고르시오.

16. 한자의 제자원리(六書) 중 '상형'에 해당하는 한자가 아닌 것은? (　　　)

①角　②星　③弓　④雨

17. 밑줄 친 '更'의 독음이 다른 것은? (　　　)

①更生　②變更　③更紙　④更考

18. "바람이 불자 落葉이 떨어졌다"에서 밑줄 친 '葉'의 훈음으로 알맞은 것은? (　　)

①꽃잎 접 ②땅이름 섭 ③책 접 ④잎 엽

19. '依'을(를) 자전에서 찾을 때의 방법으로 바르지 않은 것은? (　　)

①자음으로 찾을 때는 '의'음에서 찾는다.

②총획으로 찾을 때는 '8획'에서 찾는다.

③부수로 찾을 때는 '人'부수의 6획에서 찾는다.

④부수로 찾을 때는 '衣'부수의 2획에서 찾는다.

20. 유의자의 연결이 바르지 않은 것은? (　　)

①記=訪 ②存=在 ③恩=惠 ④希=望

21. '散'의 반의자는? (　　)

①集 ②責 ③最 ④丑

22. "□勢, □禮, □弱"에서 □안에 공통으로 들어갈 알맞은 한자는? (　　)

①限 ②休 ③驗 ④虛

※ 어휘의 독음이 바른 것을 고르시오.

23. 納期 (　　) ①납기 ②사기 ③내기 ④남기

24. 製品 (　　) ①정품 ②제품 ③체정 ④제정

25. 判決 (　　) ①판결 ②판명 ③변명 ④변별

26. 素服 (　　) ①청복 ②소보 ③소복 ④청보

27. 密林 (　　) ①밀목 ②밀림 ③비림 ④비밀

28. 軍隊 (　　) ①군대 ②군부 ③차부 ④차대

29. 寶貨 (　　) ①보배 ②패화 ③패배 ④보화

30. 氣候 (　　) ①기체 ②기상 ③기후 ④기화

31. 奉仕 (　　) ①봉사 ②부임 ③부사 ④봉임

※ 어휘의 뜻으로 알맞은 것을 고르시오.

32. 夜陰 (　　)

①밤의 어둠 ②밤의 별빛

③고요한 분위기 ④어두운 장소

33. 市街 (　　)

①물건을 판매하는 가격 ②장보러 시장에 감

③도시의 큰 길거리 ④물건을 파는 도시

34. 是認 (　　)

①시험 삼아 마셔봄 ②시인의 감정

③시력이 미치는 범위 ④그러하다고 인정함

※ 낱말을 한자로 바르게 쓴 것을 고르시오.

35. 오보: 그릇되게 보도하거나 그런 보도. (　　)

①午報 ②誤保 ③情報 ④誤報

36. 수강: 강의나 강습을 받음. (　　)

①收講 ②受講 ③受康 ④收康

37. 성현: 성인과 현인을 아울러 이르는 말. (　　)

①聖賢 ②聖現 ③成賢 ④成現

※ **밑줄 친 어휘의 알맞은 독음을 고르시오.**

38. 한자교육의 制度적 장치가 필요하다. (　　　)

①제한　②축탁　③제도　④주도

39. 사람마다 각자 지켜야 할 職分이 있다. (　　　)

①직분　②지식　③기반　④신분

40. 통일에 대한 광범위한 討論이(가) 있었다. (　　　)

①토의　②의논　③토론　④심의

41. 교육만큼은 均等한 기회를 주어야 한다. (　　　)

①균일　②동등　③동일　④균등

※ **밑줄 친 부분을 한자로 바르게 쓴 것을 고르시오.**

42. 교육 부문에 혁명적인 변화가 일어났다.

(　　　)

①富文　②部門　③夫門　④部文

43. 집중호우로 인한 피해가 막대했다.

(　　　)

①莫對　②莫大　③莫待　④莫代

44. 회사를 잘 경영하려면 인재가 필요하다.

(　　　)

①經榮　②警營　③警榮　④經營

※ **물음에 알맞은 답을 고르시오.**

45. 어휘의 짜임이 다른 것은?

(　　　)

①首尾　②純益　③興亡　④始終

46. '美人'의 유의어는? (　　　)

①佳人　②歌人　③假人　④家人

47. '結氷'의 반의어는? (　　　)

①海冰　②解水　③解冰　④海水

48. "連戰連勝"의 속뜻으로 알맞은 것은?

(　　　)

①연거푸 속임　②싸움에 이기는 계략

③연거푸 싸움만 함　④싸울 때마다 계속 이김

49. 부모님께서 부르실 때 취할 행동으로 가장 바른 것은? (　　　)

①대답하지 않고 천천히 간다.

②하던 일을 다 마치고 대답한다.

③빨리 대답하고 빨리 달려가 말씀을 듣는다.

④하던 일을 계속하며 대답하지 않는다.

50. 우리나라의 명절이 아닌 것은?

(　　　)

①추석　②단오　③설날　④초복

대한민국한자급수자격검정시험 준3급

14회 실전대비문제

시험시간 : 40분

점수:

※ 한자의 훈음으로 바른 것을 고르시오.

1. 息 (　　　) ①알 식　②잊을 망　③숨쉴 식　④붉을 단

2. 莫 (　　　) ①곳집 고　②없을 막　③같을 약　④만날 우

3. 候 (　　　) ①뒤 후　②기후 후　③닦을 수　④바랄 희

4. 户 (　　　) ①돌 회　②지게문 호　③시험 험　④호수 호

5. 佳 (　　　) ①값 가　②살 주　③아름다울 가　④위태할 위

6. 拜 (　　　) ①갑절 배　②절 배　③낱 개　④괴로울 고

7. 專 (　　　) ①법 전　②오로지 전　③전할 전　④손가락 지

8. 除 (　　　) ①차례 제　②지을 제　③제목 제　④덜 제

※ 훈음에 맞는 한자를 고르시오.

9. 한 일 (　　　) ①倫　②票　③陰　④壹

10. 말 두 (　　　) ①頭　②斗　③度　④豆

11. 어질 현 (　　　) ①現　②賣　③賢　④寶

12. 그릇될 오 (　　　) ①兆　②請　③誤　④謠

13. 지킬 보 (　　　) ①祝　②保　③計　④恩

14. 소 축 (　　　) ①丑　②亥　③壬　④戌

15. 힘쓸 노 (　　　) ①怒　②榮　③努　④營

※ 물음에 알맞은 답을 고르시오.

16. 한자의 제자원리(六書) 중 '형성'에 해당되는 한자가 아닌 것은? (　　　)

①乙　②城　③清　④放

17. 밑줄 친 '拾'의 독음이 다른 것은? (　　　)

①拾骨　②拾遺　③收拾　④參拾

18. "투표로 可否를 결정하기로 하였다"에서 밑줄 친 '否'의 훈음으로 가장 알맞은 것은? (　　　)

①막힐 비　②막힐 부　③아닐 부　④아닐 비

19. '暴'을(를) 자전에서 찾을 때의 방법으로 바르지 않은 것은? (　　　)

①총획으로 찾을 때는 '15획'에서 찾는다.

②字音으로 찾을 때는 '폭'음에서 찾는다.

③부수로 찾을 때는 '日'부수 11획에서 찾는다.

④부수로 찾을 때는 '氺'부수 11획에서 찾는다.

20. '省'의 유의자는? (　　　)

①略　②歸　③妙　④反

21. '虛'의 반의자는? (　　　)

①實　②停　③熱　④均

22. "□野, 賞□金, 授□"에서 □안에 공통으로 들어갈 알맞은 한자는? (　　　)

①廣　②與　③依　④巨

※ 어휘의 독음이 바른 것을 고르시오.

23. 探究 (　　　) ①탐연 ②심구 ③심연 ④탐구

24. 考察 (　　　) ①노제 ②고찰 ③노찰 ④고제

25. 壯元 (　　　) ①장원 ②장수 ③사원 ④사완

26. 戒律 (　　　) ①개필 ②계필 ③개율 ④계율

27. 口舌 (　　　) ①구활 ②구화 ③구설 ④구사

28. 變更 (　　　) ①섭갱 ②변갱 ③섭경 ④변경

29. 風俗 (　　　) ①풍속 ②풍욕 ③풍전 ④풍곡

30. 講讀 (　　　) ①강의 ②강독 ③낭독 ④강매

31. 降雨 (　　　) ①강우 ②강설 ③항우 ④강운

※ 어휘의 뜻으로 알맞은 것을 고르시오.

32. 引上 (　　　)

①가격을 낮춤　②사람 얼굴의 생김새

③강하게 질책 함　④물건 따위를 끌어 올림

33. 適任 (　　　)

①실력이 비슷한 맞수　②적당한 값

③어떤 임무나 일에 알맞음　④임지로 부임함

34. 視聽 (　　　)

①주의 깊게 살핌　②라디오를 들음

③눈으로 보고 귀로 들음　④듣기만 함

※ 낱말을 한자로 바르게 쓴 것을 고르시오.

35. 증산: 생산이 늚. 또는 생산을 늘림. (　　　)

①增産　②重産　③中産　④衆産

36. 지참: 무엇을 가지고서 모임 따위에 참여함. (　　　)

①所持　②持參　③參席　④參加

37. 직원: 직장에서 일정한 직무를 맡아보는 사람. (　　　)

①職圓　②職分　③直員　④職員

※ **밑줄 친 어휘의 알맞은 독음을 고르시오.**

38. 그의 행동은 정말 納得하기 힘들다. (　　)

①설득 ②응대 ③납득 ④용서

39. 남쪽 지방은 기후가 溫暖하다. (　　)

①온난 ②냉난 ③온화 ④냉화

40. 경찰에 그 사실을 곧 申告해야 한다. (　　)

①갑고 ②신고 ③신청 ④고발

41. 제철에 나는 新鮮한 과일은 맛도 좋고 영양가도 많다. (　　)

①친선 ②친양 ③신양 ④신선

※ **밑줄 친 부분을 한자로 바르게 쓴 것을 고르시오.**

42. 이번 일을 간과해서는 안 될 것이다. (　　)

①看過 ②看果 ③過去 ④間過

43. 기업경영은 투명성과 공정성을 원칙으로 해야 한다. (　　)

①願則 ②稅則 ③原則 ④減稅

44. 그는 현실을 정확하게 판단하고 있다. (　　)

①決斷 ②判決 ③獨斷 ④判斷

※ **물음에 알맞은 답을 고르시오.**

45. 어휘의 짜임이 다른 것은? (　　)

①老松 ②脫衣 ③早秋 ④素服

46. '滿開'의 유의어는? (　　)

①未滿 ②充滿 ③滿發 ④滿足

47. '許容'의 반의어는? (　　)

①主止 ②利害 ③禁止 ④許害

48. "藥房甘草"의 속뜻으로 알맞은 것은? (　　)

①모든 일에 꼭 쓰인다. ②약초는 맛이 달다.

③약은 모두가 쓰다. ④쓴 약일수록 좋다.

49. 우리의 전통 문화를 이해하고 발전시키는 방법으로 바르지 않은 것은? (　　)

①우리의 전통 문화만을 고집한다.

②상호 이해를 통한 문화 교류가 필요하다.

③우리 것에 대한 긍지와 자부심을 갖는다.

④참고 문헌을 통하여 관심과 정보를 얻는다.

50. 육십갑자 중 천간(天干)에 해당되지 않은 것은? (　　)

①丁 ②甲 ③丙 ④氣

대한민국한자급수자격검정시험 준3급

15회 실전대비문제

시험시간 : 40분 점수:

※ **한자의 훈음으로 바른 것을 고르시오.**

1. 片 (　　　) ①베 포　②껍질 갑　③알릴 고　④조각 편

2. 笑 (　　　) ①소나무 송　②웃음 소　③잃을 실　④머리 수

3. 群 (　　　) ①고을 군　②곳집 고　③종이 지　④무리 군

4. 禁 (　　　) ①벼슬 관　②빽빽할 밀　③금할 금　④이을 련

5. 谷 (　　　) ①골 곡　②혀 설　③착할 선　④집 사

6. 怒 (　　　) ①숨쉴 식　②슬플 비　③생각 념　④성낼 노

7. 鄉 (　　　) ①향기 향　②시골 향　③다할 극　④사나울 포

8. 引 (　　　) ①부를 호　②범 인　③끌 인　④글 장

※ **훈음에 맞는 한자를 고르시오.**

9. 영화 영 (　　　) ①榮　②背　③英　④術

10. 들을 청 (　　　) ①淸　②靑　③請　④聽

11. 따뜻할 난 (　　　) ①暗　②昨　③曜　④暖

12. 풀 해 (　　　) ①近　②解　③運　④速

13. 인원 원 (　　　) ①買　②圓　③員　④鼻

14. 쓸 소 (　　　) ①察　②絲　③掃　④卓

15. 칠 토 (　　　) ①討　②特　③誠　④若

※ **물음에 알맞은 답을 고르시오.**

16. 한자의 제자원리(六書) 중 '상형'에 해당되는 한자가 <u>아닌</u> 것은? (　　　)

①巳　②品　③干　④要

17. 밑줄 친 '狀'의 독음이 <u>다른</u> 것은? (　　　)

①球<u>狀</u>　②形<u>狀</u>　③賞<u>狀</u>　④實<u>狀</u>

18. "나이는 내가 더 많지만 行列로는 그가 내 삼촌뻘 이다"에서 밑줄 친 '行'의 훈음으로 알맞은 것은? (　　)

①갈 행 ②다닐 항 ③항렬 항 ④다닐 행

19. '街'을(를) 자전에서 찾을 때의 방법으로 바르지 않은 것은? (　　)

①자음으로 찾을 때는 '가'음에서 찾는다.

②부수로 찾을 때는 '彳'부수 9획에서 찾는다.

③부수로 찾을 때는 '行'부수 6획에서 찾는다.

④총획으로 찾을 때는 '12획'에서 찾는다.

20. '具'의 유의자는? (　　)

①飮 ②浴 ③尾 ④備

21. '順'의 반의자는? (　　)

①逆 ②歷 ③到 ④應

22. "□純, □式, 名□"에서 □안에 공통으로 들어갈 알맞은 한자는? (　　)

①單 ②壇 ③團 ④丹

※ 어휘의 독음이 바른 것을 고르시오.

23. 强烈 (　　) ①강례 ②강렬 ③궁열 ④궁렬

24. 煙月 (　　) ①인월 ②화월 ③소월 ④연월

25. 誤記 (　　) ①오기 ②언기 ③어록 ④우기

26. 心境 (　　) ①지경 ②심증 ③심경 ④심란

27. 授乳 (　　) ①수유 ②두유 ③수찰 ④두찰

28. 病床 (　　) ①대상 ②병상 ③병동 ④병목

29. 取消 (　　) ①취득 ②소멸 ③취소 ④소각

30. 慶祝 (　　) ①경하 ②축복 ③축하 ④경축

31. 歌謠 (　　) ①가요 ②동요 ③가곡 ④가화

※ 어휘의 뜻으로 알맞은 것을 고르시오.

32. 往復 (　　)

①옛날 모습으로 돌아감 ②갔다가 돌아옴

③가서 일을 완수함 ④직접 가서 진료함

33. 公益 (　　)

①국가가 인정함 ②서로 함께 번영함

③공예가의 작업실 ④사회 전체의 이익

34. 統制 (　　)

①바람을 잘 통하게 함

②집에서 병원으로 치료를 받으러 다님

③일정한 방침에 따라 제한하거나 제약함

④물리쳐서 없애 버림

※ 낱말을 한자로 바르게 쓴 것을 고르시오.

35. 용인: 너그럽게 받아들여 인정함. (　　)

①容納 ②容量 ③認容 ④容認

36. 대접: 마땅한 예로써 대함. (　　)

①待接 ②待遇 ③對理 ④接待

37. 장관: 훌륭하고 장대한 광경. (　　)

①壯觀 ②將觀 ③將關 ④壯關

※ 밑줄 친 어휘의 알맞은 독음을 고르시오.

38. 휴가 나온 삼촌이 우리들에게 兵營 생활을 얘기해 주었다. (   )

①병경 ②병양 ③병사 ④병영

39. 자기 發展을 위해 끊임없이 노력해야 한다. (   )

①발달 ②방전 ③발전 ④발천

40. 국토 순례를 徒步로 종단했다. (   )

①도보 ②주로 ③도로 ④주보

41. 옷을 오래 입었더니 脫色이(가) 되었다. (   )

①변색 ②탈루 ③탈색 ④절색

※ 밑줄 친 부분을 한자로 바르게 쓴 것을 고르시오.

42. 시멘트 원료를 화물 열차로 수송했다. (   )

①財物 ②貨物 ③古物 ④貨財

43. 정월 대보름에는 잡곡밥을 먹는 것이 우리 민족의 풍속이다. (   )

①風俗 ②風束 ③飛束 ④飛俗

44. 바다를 지키는 해경의 활약이 눈부시다. (   )

①海競 ②海敬 ③海經 ④海警

※ 물음에 알맞은 답을 고르시오.

45. 어휘의 짜임이 다른 것은? (   )

①職級 ②氣候 ③研究 ④希願

46. '參與'의 유의어는? (   )

①參萬 ②參考 ③參加 ④與野

47. 반의어의 연결이 바르지 않은 것은? (   )

①能動↔受動 ②義務↔權利
③終講↔終末 ④空想↔現實

48. "異口同聲"의 속뜻으로 알맞은 것은? (   )

①사회에 끼친 잘못을 소리 높여 규탄함
②여러 사람의 말이 한결같음
③두 사물이 비슷하여 낫고 못함을 정하기 어려움
④한 가지 일에 대하여 말을 이랬다저랬다 함

49. 文化遺産을 대하는 마음가짐으로 바르지 않은 것은? (   )

①우리가 먼저 사랑하고 아끼는 마음을 가진다.
②後孫에게 물려줘야 하므로 所重하게 保存한다.
③우리 것보다 좋은 다른 나라 것을 더 아낀다.
④그 속에 담긴 祖上의 얼을 느껴본다.

50. 24절기 중 일 년 중 낮이 가장 짧고 밤이 가장 긴 절기는? (   )

①立春 ②冬至 ③小雪 ④秋分

모|범|답|안

①회 심화학습문제 (193~194쪽)

1.② 2.③ 3.② 4.④ 5.② 6.③ 7.① 8.④ 9.① 10.④ 11.③ 12.② 13.③ 14.④ 15.② 16.④ 17.① 18.④ 19.② 20.① 21.④ 22.③ 23.③ 24.④ 25.④ 26.① 27.④ 28.③ 29.④ 30.① 31.② 32.③ 33.④ 34.① 35.② 36.② 37.① 38.② 39.③ 40.② 41.② 42.② 43.① 44.① 45.③ 46.③ 47.③ 48.② 49.② 50.④

②회 심화학습문제 (195~196쪽)

1.② 2.④ 3.① 4.④ 5.② 6.③ 7.① 8.④ 9.① 10.④ 11.② 12.④ 13.③ 14.④ 15.① 16.② 17.① 18.④ 19.② 20.② 21.④ 22.③ 23.③ 24.① 25.④ 26.② 27.① 28.③ 29.④ 30.① 31.② 32.③ 33.④ 34.① 35.② 36.② 37.① 38.② 39.③ 40.② 41.② 42.② 43.① 44.① 45.③ 46.① 47.③ 48.② 49.④ 50.③

③회 심화학습문제 (197~198쪽)

1.② 2.③ 3.① 4.④ 5.② 6.② 7.① 8.④ 9.② 10.③ 11.② 12.② 13.③ 14.④ 15.② 16.② 17.③ 18.④ 19.② 20.② 21.④ 22.③ 23.③ 24.④ 25.④ 26.① 27.④ 28.③ 29.④ 30.① 31.② 32.③ 33.④ 34.① 35.② 36.② 37.① 38.② 39.③ 40.② 41.② 42.④ 43.① 44.④ 45.③ 46.① 47.③ 48.② 49.④ 50.④

④회 심화학습문제 (199~200쪽)

1.② 2.③ 3.① 4.④ 5.② 6.② 7.③ 8.① 9.④ 10.③ 11.② 12.② 13.③ 14.④ 15.② 16.② 17.② 18.③ 19.④ 20.② 21.② 22.① 23.③ 24.④ 25.④ 26.① 27.④ 28.③ 29.④ 30.① 31.② 32.① 33.② 34.③ 35.④ 36.② 37.① 38.② 39.③ 40.④ 41.② 42.② 43.④ 44.① 45.④ 46.① 47.③ 48.② 49.④ 50.④

⑤회 심화학습문제 (201~202쪽)

1.② 2.③ 3.① 4.④ 5.① 6.④ 7.② 8.④ 9.① 10.③ 11.② 12.③ 13.④ 14.④ 15.② 16.① 17.③ 18.④ 19.① 20.② 21.③ 22.④ 23.③ 24.① 25.④ 26.① 27.② 28.③ 29.④ 30.① 31.② 32.③ 33.④ 34.① 35.② 36.② 37.① 38.② 39.③ 40.④ 41.② 42.② 43.④ 44.① 45.② 46.① 47.③ 48.② 49.④ 50.②

모|범|답|안

1회 실전대비문제 (211~213쪽)

1.② 2.① 3.② 4.④ 5.① 6.① 7.④ 8.④ 9.② 10.③ 11.① 12.③ 13.② 14.④ 15.④
16.① 17.② 18.① 19.③ 20.② 21.② 22.④ 23.① 24.③ 25.① 26.② 27.④ 28.④ 29.③ 30.④
31.② 32.① 33.③ 34.④ 35.④ 36.① 37.① 38.① 39.② 40.① 41.② 42.④ 43.①44.④ 45.④
46.③ 47.① 48.① 49.④ 50.③

2회 실전대비문제 (214~216쪽)

1.③ 2.④ 3.① 4.④ 5.③ 6.① 7.② 8.① 9.② 10.④ 11.③ 12.③ 13.② 14.④ 15.③
16.① 17.① 18.④ 19.④ 20.① 21.② 22.③ 23.③ 24.② 25.④ 26.④ 27.② 28.② 29.② 30.①
31.② 32.① 33.① 34.③ 35.③ 36.④ 37.④ 38.④ 39.② 40.④ 41.① 42.④ 43.④ 44.③ 45.③
46.② 47.② 48.① 49.② 50.③

3회 실전대비문제 (217~219쪽)

1.④ 2.② 3.④ 4.④ 5.④ 6.③ 7.② 8.③ 9.② 10.③ 11.③ 12.② 13.④ 14.① 15.②
16.④ 17.① 18.① 19.② 20.① 21.② 22.④ 23.③ 24.① 25.④ 26.① 27.④ 28.③ 29.④ 30.②
31.① 32.④ 33.② 34.① 35.② 36.③ 37.③ 38.② 39.④ 40.② 41.① 42.④ 43.② 44.② 45.④
46.③ 47.④ 48.③ 49.② 50.②

4회 실전대비문제 (220~222쪽)

1.③ 2.③ 3.④ 4.④ 5.② 6.③ 7.① 8.④ 9.① 10.② 11.④ 12.① 13.③ 14.② 15.④
16.③ 17.③ 18.③ 19.④ 20.① 21.③ 22.④ 23④ 24.③ 25.③ 26.③ 27.② 28.① 29.④ 30.②
31.① 32.④ 33.④ 34.④ 35.① 36.③ 37.① 38.① 39.② 40.③ 41.② 42.② 43.④ 44.① 45.④
46.② 47.② 48.④ 49.③ 50.②

모|범|답|안

5회 실전대비문제 (223~225쪽)

1.① 2.① 3.③ 4.③ 5.② 6.④ 7.② 8.④ 9.③ 10.② 11.① 12.④ 13.① 14.③ 15.③
16.④ 17.① 18.② 19.② 20.③ 21.③ 22.④ 23.② 24.④ 25.④ 26.② 27.④ 28.④ 29.② 30.④
31.① 32.③ 33.③ 34.① 35.② 36.① 37.① 38.② 39.① 40.① 41.③ 42.③ 43.② 44.③ 45.③
46.② 47.④ 48.② 49.① 50.①

6회 실전대비문제 (226~228쪽)

1.② 2.④ 3.③ 4.② 5.③ 6.① 7.② 8.③ 9.④ 10.③ 11.③ 12.① 13.② 14.④ 15.③
16.① 17.② 18.② 19.① 20.③ 21.① 22.④ 23.③ 24.④ 25.① 26.③ 27.③ 28.① 29.③ 30.④
31.① 32.② 33.① 34.④ 35.③ 36.④ 37.① 38.①39.③ 40.③ 41.④ 42.② 43.② 44.④ 45.③
46.① 47.② 48.① 49.④ 50.①

7회 실전대비문제 (229~231쪽)

1.② 2.④ 3.④ 4.② 5.① 6.③ 7.② 8.② 9.① 10.③ 11.④ 12.③ 13.④ 14.③ 15.③
16.③ 17.① 18.④ 19.① 20.③ 21.② 22.④ 23.② 24.③ 25.② 26.④ 27.① 28.① 29.① 30.②
31.② 32.③ 33.④ 34.② 35.③ 36.① 37.① 38.② 39.① 40.② 41.③ 42.④ 43.① 44.② 45.③
46.② 47.③ 48.③ 49.① 50.③

8회 실전대비문제 (232~234쪽)

1.④ 2.② 3.① 4.③ 5.① 6.② 7.② 8.② 9.③ 10.① 11.① 12.③ 13.② 14.④ 15.③
16.② 17.② 18.④ 19.② 20.③ 21.② 22.② 23.① 24.③ 25.③ 26.② 27.① 28.④ 29.② 30.③
31.④ 32.③ 33.④ 34.④ 35.④ 36.② 37.① 38.③ 39.② 40.④ 41.① 42.④ 43.④ 44.② 45.③
46.③ 47.② 48.③ 49.④ 50.④

모 | 범 | 답 | 안

9회 실전대비문제 (235~237쪽)

1.③ 2.③ 3.② 4.② 5.② 6.③ 7.② 8.② 9.① 10.② 11.① 12.② 13.③ 14.③ 15.③
16.① 17.④ 18.② 19.③ 20.③ 21.① 22.② 23.④ 24.④ 25.③ 26.① 27.④ 28.① 29.① 30.②
31.② 32.③ 33.② 34.③ 35.① 36.③ 37.④ 38.③ 39.③ 40.④ 41.③ 42.② 43.③ 44.② 45.④
46.④ 47.④ 48.③ 49.③ 50.④

10회 실전대비문제 (238~240쪽)

1.① 2.④ 3.② 4.② 5.③ 6.③ 7.④ 8.① 9.③ 10.② 11.③ 12.② 13.④ 14.① 15.②
16.④ 17.④ 18.② 19.③ 20.④ 21.① 22.③ 23.④ 24.③ 25.② 26.② 27.③ 28.④ 29.② 30.③
31.④ 32.③ 33.① 34.④ 35.③ 36.③ 37.① 38.④ 39.② 40.③ 41.① 42.③ 43.② 44.④ 45.②
46.③ 47.④ 48.② 49.① 50.②

11회 실전대비문제 (241~243쪽)

1.① 2.② 3.① 4.② 5.③ 6.③ 7.① 8.① 9.③ 10.② 11.③ 12.② 13.① 14.① 15.②
16.④ 17.① 18.② 19.③ 20.④ 21.② 22.④ 23.② 24.③ 25.② 26.② 27.③ 28.④ 29.② 30.③
31.④ 32.② 33.① 34.④ 35.③ 36.② 37.① 38.④ 39.② 40.③ 41.① 42.③ 43.② 44.④ 45.③
46.③ 47.① 48.② 49.① 50.④

12회 실전대비문제 (244~246쪽)

1.① 2.④ 3.① 4.② 5.③ 6.③ 7.① 8.④ 9.③ 10.② 11.③ 12.② 13.① 14.① 15.②
16.④ 17.① 18.② 19.③ 20.④ 21.② 22.③ 23.④ 24.③ 25.① 26.② 27.③ 28.④ 29.② 30.①
31.③ 32.② 33.① 34.④ 35.④ 36.③ 37.④ 38.④ 39.② 40.③ 41.① 42.③ 43.② 44.④ 45.②
46.④ 47.① 48.④ 49.③ 50.②

모 | 범 | 답 | 안

13회 실전대비문제 (247~249쪽)

1.② 2.④ 3.① 4.② 5.③ 6.③ 7.① 8.④ 9.③ 10.① 11.② 12.③ 13.② 14.④ 15.①
16.② 17.② 18.④ 19.④ 20.① 21.① 22.④ 23.① 24.② 25.① 26.③ 27.② 28.① 29.④ 30.③
31.① 32.① 33.③ 34.④ 35.④ 36.② 37.① 38.③ 39.① 40.③ 41.④ 42.② 43.② 44.④ 45.②
46.① 47.③ 48.④ 49.③ 50.④

14회 실전대비문제 (250~252쪽)

1.③ 2.② 3.② 4.② 5.③ 6.② 7.② 8.④ 9.④ 10.② 11.③ 12.③ 13.② 14.① 15.③
16.① 17.④ 18.③ 19.④ 20.① 21.① 22.② 23.④ 24.② 25.① 26.④ 27.③ 28.④ 29.① 30.②
31.① 32.④ 33.③ 34.③ 35.① 36.② 37.④ 38.③ 39.① 40.② 41.④ 42.① 43.③ 44.④ 45.②
46.③ 47.③ 48.① 49.① 50.④

15회 실전대비문제 (253~255쪽)

1.④ 2.② 3.④ 4.③ 5.① 6.④ 7.② 8.③ 9.① 10.④ 11.④ 12.② 13.③ 14.③ 15.①
16.② 17.③ 18.③ 19.② 20.④ 21.① 22.① 23.② 24.④ 25.① 26.③ 27.① 28.② 29.③ 30.④
31.① 32.② 33.④ 34.③ 35.④ 36.① 37.① 38.④ 39.③ 40.① 41.③ 42.② 43.① 44.④ 45.①
46.③ 47.③ 48.② 49.③ 50.②

[제0-4호 서식]

제□□회 한자급수자격검정시험 경시대회 답안지 (앞면) 0 1

사단법인 대한민국한자교육연구회 / KTA 대한검정회 Korea Test Association

수 험 번 호
※ 정확하게 기재하고 해당란에 ●처럼 칠할 것.

한자급수시험 등급표기란	한문경시대회 부문표기란
6	A
준5	B
5	C
준4	D
4	E
준3	F
3	G
준2	
2	

주민번호 앞6자리 (생년월일)
※ 예 : 2001. 11. 22 ⇨ 01 11 22

성 별: 남 / 여

※ 참고사항

▶시험준비물을 제외한 모든 물품은 가방에 넣어 지정된 장소에 보관할 것.

▶시험기간 및 합격기준

등급	시험시간	합격기준
6급~준3급	14:00~14:40(40분)	70점이상
3급~2급	14:00~15:00(60분)	

▶합격자발표 : 시험 4주후 발표
-홈페이지 및 ARS(060-700-2130)

▶자격증 교부방법
-방문접수자는 접수처에서 교부
-인터넷접수자는 개별발송

※ 주 의 사 항

이 답안지는 한자급수자격시험 및 전국한문실력경시대회 겸용입니다.

1. 답안지가 구겨지거나 더럽혀지지 않도록 할 것. 모든 □안의 기록은 첫칸부터 한 자씩 붙여 쓸 것.

2. 답안지의 모든기재 사항은 검정색 볼펜을 사용하여 기재하고 해당번호에 한개의 답에만 ●처럼 칠할 것.

3. 수험번호와 생년월일을 정확하게 기재하여 주십시오.

4.※ 표시가 있는 란은 절대 기입하지 말 것.

5. 기재오류로 인한 책임은 모두 응시자 여러분에게 있습니다.

※ 시험종료 후 시험지 및 답안지를 반드시 제출하십시오.

성 명 (한글) □□□□□

※ 모든 □안의 기록은 첫 칸부터 한 자씩 붙여 쓰시오.

객 관 식 답 안 란

1	① ② ③ ④	14	① ② ③ ④	27	① ② ③ ④	40	① ② ③ ④
2	① ② ③ ④	15	① ② ③ ④	28	① ② ③ ④	41	① ② ③ ④
3	① ② ③ ④	16	① ② ③ ④	29	① ② ③ ④	42	① ② ③ ④
4	① ② ③ ④	17	① ② ③ ④	30	① ② ③ ④	43	① ② ③ ④
5	① ② ③ ④	18	① ② ③ ④	31	① ② ③ ④	44	① ② ③ ④
6	① ② ③ ④	19	① ② ③ ④	32	① ② ③ ④	45	① ② ③ ④
7	① ② ③ ④	20	① ② ③ ④	33	① ② ③ ④	46	① ② ③ ④
8	① ② ③ ④	21	① ② ③ ④	34	① ② ③ ④	47	① ② ③ ④
9	① ② ③ ④	22	① ② ③ ④	35	① ② ③ ④	48	① ② ③ ④
10	① ② ③ ④	23	① ② ③ ④	36	① ② ③ ④	49	① ② ③ ④
11	① ② ③ ④	24	① ② ③ ④	37	① ② ③ ④	50	① ② ③ ④
12	① ② ③ ④	25	① ② ③ ④	38	① ② ③ ④		
13	① ② ③ ④	26	① ② ③ ④	39	① ② ③ ④		

※ 주관식 답안란은 뒷면에 있습니다.

감독확인	정	
	부	